Study on Reconstruction of Hu Xue-yan's mansion

胡雪岩故居修复研究

高念华 著

文物出版社

我们殷切期望

有更多的文物建筑得到整修

为子孙后代保存

更多可据以感知

历史文化的凭证

这是我们责无旁贷的

历史使命

百狮楼
baishilou

　　百狮楼是故居中轴线上的主体建筑,也是胡府最主要的建筑。百狮楼坐北朝南,上下两层,面阔五间。据说此楼是因用100个紫檀雕刻成的狮子装饰栏杆而称"百狮楼"。百狮楼明间是重大节日和红白喜事时使用的大礼堂,又是接待贵宾时使用的大厅,平时很少使用。

芝园

zhiyuan

胡宅的西区为独立的园林——芝园。镶嵌在圆洞门上的"芝园"匾额,是清同治十一年(1872年)李世基题写的。"芝园"的涵义有两种说法:

一说是为纪念父亲胡芝田,胡雪岩用"芝"字命园名。

二说是芝园的设计师是一位皇家造园高手,因他的名字叫尹芝,故以名园。

红木厅

hongmuting

　　红木厅家具的复原也是重点之一。由于红木厅地处芝园的中心,考虑到它也是一个以厅堂为主的建筑,所以在一层厅堂仍设中堂格局。挂屏下方则摆放长条案、天然几、八仙桌和太师椅。在厅堂中央放置红木圆桌,两侧仍为两椅一几的布置。整个厅堂家具以高档红木(红酸枝)为原材料,在雕刻图案上采用活泼典雅的梅花图案,雕刻手法上充分运用了深透雕和浮雕,整个厅堂使人感到高贵雅致,充满灵气。

目 次 Contents

序I Preface

科学修复　再现辉煌
一个有中国特色的建筑文物保护维修工程的实例

　　浙江杭州的胡雪岩故居，是中国民族资产阶级发展过程中的实物例证之一，具有很高的历史价值。这一建筑被称之为近代豪宅，其建筑与园林艺术之精湛，自不待言，这一点，在研究报告中已有了详细的分析与介绍，不容多赘。我这里仅谈一些对这一工程和修复研究报告的意见。

胡雪岩故居的修复工程
是一项十分成功的建筑文物抢救性修复工程

　　这一建筑文物修复工程的实现，来之于两个方面，其一是领导的决策，其二是工程技术人员、文物工作者的具体操作实施。在专家学者们的呼吁与建议下，在马时雍常务副市长和其他省市领导的重视下，胡雪岩故居这一重要的历史文化遗产被保护下来了。当时所见的胡雪岩故居已是断壁残垣，行将消失，被少数人认为是破破烂烂，没有保护的必要了，其修复工程正如修复研究报告中所说的是"抢救遗产，起死回生"。试想假如没有这次的修复，这一重要古建筑文物将会永远从人间消失，对杭州这座历史文化名城来说，将是无法挽回的损失。这一抢救性的修复工程也正是国家"保护为主，抢救第一"文物保护方针的具体体现。

我在这里还要阐述一个观点，文物的最大价值就在于物本身的存在，如果物本身不存在了，就没有什么价值可言，因为文物的各种价值都是要以实物的存在来体现的。假如胡雪岩故居不存在了，它的历史价值、艺术价值、科学价值也就无从说起了。尤其是古建筑，要以它的具体形象（建筑布局、建筑造型、内外空间、建筑装饰以及园林的叠石堆山、理水、花木等等）来体现其自身的文化内涵，这是其他的历史文献、考古资料、文字描写等所不能代替的。胡雪岩故居的修复是在杭州市领导的正确决策下，在文物工作者、工程技术人员的共同努力之下，把一个濒临毁灭的历史建筑以起死回生之术挽救了回来。

科学修复　再现辉煌

古建筑文物的保护，也包括其他各种类型的文物保护，都是为了防止人为和自然两方面的破坏。防止人为的破坏主要依靠法制、宣传、管理等手段，防止自然的破坏则主要依靠科学技术进行保护维修。古建筑的保护和馆藏文物、散存文物不一样，它们不能储存密室，装入囊匣，而是暴露光天之下，长期经受着风霜雨露、冷暖寒热、水火雷电等等的侵袭，其保护的办法，自古以来都是采用保养维修的手段。在特殊的情况下，还可以采取复原重建的方式，古今中外莫不如此。于是古建筑文物才得以永世长存，相传不息。历史上由于未能把古建筑作为历史科学的遗存，即当作文物来看待，在维修时往往失去了它当时的历史原状，但重要的历史信息仍然流传下来了。今天我们把古建筑作为历史文物来看待，就必须以科学的态度，按照文物保护的法规来进行维修。我曾经写过一篇名为《文物建筑的科学复原重修不能以假古董视之——兼谈中国文物建筑保护维修的中国特色》的文章，我认为只要有充足的材料，充分的科学复原依据，经过认真评审和依法批准复原重修的重要古建筑，不仅可以再现昔日的辉煌，而且更重要的是可以使这些历史上的建筑杰作长留人间，以它完整的形象展现其历史的风采，展现中华民族悠久灿烂的文明。

胡雪岩故居的修复，即是一处有充分科学依据的修复工程。它不仅整个建筑基础完整地保存着，而且大部建筑构架、装修都还存在，复原依据的第一手资料如遗址、遗物、构件等都还存在，而且还有现代化的科学检测资料、测绘图纸、历史照片等等。主持维修的单位经过认真的勘查测绘，制作出详细的修复方案与技术设计，这些方案与设计经过专家评审，然后按规定程序依法批准以后才进行施工，可称得上是精心设计、精心施工的优质工程。

在这里还要介绍一处正在废墟之上复原重建的北京故宫建福宫花园（西花园）工程，它较之胡雪岩故居破坏更为严重，在80年前被一把无名之火全部烧光，基础也已经残损。但是由于这一花园的重大历史价值和艺术价值，在专家学者们的不断呼吁建议之下，经国务院批准，在香港爱国人士陈启宗先生中华文物保护基金会的赞助下，已经开始了重建复原。由于此一工程更为复杂艰巨，可能还需要一些时间，相信不久的将来必将使明清故宫中的这一精美花园辉煌再现。

一个有中国特色的建筑文物修复工程的典范实例

中国是一个多民族组成的国家，历史文化之所以辉煌灿烂，也正是由于各民族丰富多彩的文化和彼此之间的交流、融会与创造。中华民族有一个特点，就是从来不拒绝外来的文化，并且把外来文化作为创造的营养，加以改造吸收，成为中国文化的新成果。在古建筑中最为突出的一个例子就是古塔，它本是来自印度佛教之祖释迦牟尼的舍利坟冢，两千年前随着佛教传入，就在中国传统文化的基础上创造出了楼阁式、亭阁式、密檐式、过街门楼式等等各种类型的塔。古塔已经成了中国古建筑中的一种重要类型，可以说是吸收外来文化创造成为有中国特色建筑的最佳典范。

在这次胡雪岩故居的抢救修复工程中，十分强调修复工程的中国特色，没有采用希腊罗马那种残址保存，残柱露天，红砖接柱的方式。因为它不仅不适合于中国木结构建筑的保护，而且也不适合于中华民族的审美观念和习尚。在修复研究报告中高念华提出了对《威尼斯宪章》质疑的问题，我认为这是一个非常重要的理论性问题，提得好。我一贯非常尊重这一宪章所起的积极作用，但是制定它的历史背景主要是针对砖石（主要是石）结构为主的西方建筑的，当时并没有中国代表参加制定此宪章，也没有以木结构建筑体系为主的东方国家参加。对修复以木结构为主的中国建筑和东方建筑，是不能照搬的。因此我认为，应该吸收其合理部分，作为创造有中国特色的古建筑文物保护维修理论的借鉴。何况该宪章已出台多年，欧洲也已经发生了很大的变化，理论与实践都已有了新的发展。

最后，我还想谈一下科学修复的古建筑是否是文物或是假古董的问题。我肯定地回答，科学修复的古建筑是文物，不是假古董。理由是文物在于它的价值，没有文物价值就不是文物，有了文物价值才能算是文物。黄金、玉翠、珠宝当它们还是原始材料的时候，可能有很高的经济价值，但没有文物价值，同样木材、石料还未加工制作成建筑构件或雕刻器件的时候，也没有文物价值。我们所称的文物的历史、艺术、科学三大价值，都是经过人工的创造加工才具有的。因此，我认为经过科学修复或复原重建的古建筑，都是文物的建筑或建筑的文物。我多年前就提出过古建筑保护维修的"四项基本原则"。一、保存原来的形制，包括原来的布局、原来的形式等等。二、保存原来的结构。三、保存原来的材料，砖、瓦、木、石等等。四、保存原来的工艺，包括原来的工艺程序、工艺技术、表现方法等等。如果都做到了，它就能体现出文物的三大价值了。在近几十年来经过部分修复、大部分修复、落架重修或是全部搬迁的古建筑，如山西南禅寺、晋祠圣母殿、朔州崇福寺、广州光孝寺、天津独乐寺观音阁、北京居庸关八达岭、慕田峪、河北山海关、金山岭和甘肃嘉峪关长城等，还有北京的天安门、故宫、颐和园、北海和天坛等，都仍然是重点文物和世界文化遗产。就是在欧洲和其他许多国家的世界文化遗产，也有不少是修复重建的。故宫中正在复原重建的建福宫花园，也绝非假古董而是真正的建筑文物。据此，杭州经过科学修复的胡雪岩故居，也应是真正的文物建筑而不是假古董，也不是模型，它正是一个有中国特色的建筑文物保护维修工程的典型实例。

　　以上所言，是否妥当，敬请批评指正。

序II Preface

　　2001年1月，从浙江杭州传来消息，胡雪岩故居整修工程竣工并将向社会开放。这是杭州市政府高瞻远瞩的一项正确举措，也是对历史文化可持续发展做出的一件大好事。

近代富豪宅邸遗构的典型

　　胡雪岩故居是江南晚清富豪宅邸的代表作。胡氏名光墉，字雪岩，是杭州晚清时期的富商大贾，被清政府加官晋爵至二品顶戴，时人誉之为"红顶商人"。

　　胡氏宅邸位于杭州元宝街，其四至：东起牛羊司巷，南至元宝街，西至袁井巷，北达望江路，占地面积10.8亩，约合7230平方米，为杭州最大的私宅之一。胡宅创建于清同治十一年（1872年），光绪二十五年（1899年）其后人将此宅折合十万两白银抵债给刑部尚书协办大学士文煜。胡氏及其子孙享有此宅二十七年余。

　　胡氏宅邸建筑很有特色，在布局上，既保持中轴格律又有曲折变幻的空间韵味。不但有庭园化的环境，而且还有一座独立的园林——芝园。在工程质量及工艺上更为讲究，其建筑均以铁梨木、楠木乃至红木等名贵材料做梁、柱及隔扇装饰，并施以工艺精巧的雕刻。其中不仅有木雕，还有砖雕、石雕、堆塑以及用砾石马赛克镶嵌图案的地面。在表现手法上，不拘泥于传统建筑工艺，还应用当时的维新洋货——西洋彩色玻璃、大穿衣镜、水法流苏吊灯等等。这样一座有相当建筑水准的富商宅邸，很好地反映出中国近代史的一个侧面，具有很高的历史文化价值。

胡雪岩宅邸概况

在考古学中，为了科学研究的需要，总是力求把残破的陶片拼凑起来。一件陶器的残片只要口沿、肩、腹、底部能拼接起来，即使残片再小，也可根据它的制作原理而复原成形。这样的文物修复品，仍然具备科学价值，因为它真实地反映了历史，因此具备历史价值，作为一件古老的工艺品，它同时还具有一定的艺术价值。

胡雪岩宅邸也正是这样的文物修复作品。胡宅在整修前，残存建筑不足原建筑的一半，芝园更是破坏殆尽。幸好有遗迹、遗物保存，而且还有民国九年（1920年）绘制的胡宅平面实测图以及1903年出版的《胡雪岩外传》，其中颇多涉及胡氏宅邸的情况。此外，还有一些早年传下来的旧照片，这些都是复原研究的依据和参考资料。胡宅的修复，是一项复原考证的科学研究工作，因此复原整修的科学性，首先是以上述充足的历史资料为前提的。修复后的胡雪岩宅邸再现了历史建筑的面貌，作为往日的生活载体它显示出一定的历史生活的真实性，因此可以说修复工作是成功的。取得这样优秀的科研成果，一个重要因素就是由于工作中严格遵守了科学考证的原则。主持此项复原整修工程的是杭州市文物保护管理所所长、文物建筑保护专家高念华先生，他为这项文物建筑修复工程做出了突出的贡献。

现在展现在世人面前的胡雪岩宅邸，仍是百余年前晚清时期的豪华府第原貌，置身其中，可以体验到一个完全不同于今天的异样时空。走近门前街巷，首先展现在人们面前的是一道壁立高墙。府第正门不大，恰是封建保守、藏而不露的反映。进门左旋，进入全宅中路主轴一线的南端轿厅天井。这就是说，门禁在宅院纵轴主体的东南方——巽位，按照风水，巽位主文曲星旺、仕途发达。

所谓"轿厅"，就是出入宅邸上下轿的大厅。轿厅正北直面中轴线上精美的砖雕门楼，即题有"修德延贤"的二门，此门只有节庆日和贵客临门时才开启，平时由左右小门进入"正厅"。

正厅悬"百狮楼"匾，这里既是供重大节日、红白喜事等使用的礼堂，又是接待贵宾的大客厅，平时很少使用。正厅楼上，为家长胡雪岩、胡母及大夫人的主卧室。正厅的后面，是主轴线上最后一进山池花木点缀的园林化院落。这一庭院分设东西两个"四面厅"，也就是平时较多使用的内花厅——小客厅。为使两个小客厅互不干扰，各设围墙间隔，西花厅旁有便门通芝园。如果在园林接待客人，入宅至轿厅的后天井向西即进入题刻有"芝园"二字的月洞形正门。

为中路大、小客厅宴饮的需要，按古老传统风俗在其东侧布置厨房等服务性设置，再东便是内宅。内宅是胡氏诸妾和子女生活起居的处所，主体建筑"老七间"，作东西向的厢房布置，其北为仆人住房，其南为饮食起居活动的厅堂——"边厅"和小花厅庭院。边厅东侧设厨房。全宅的东北隅，有南向布置的楼房"新七间"。在新七间南，有"鸳鸯厅"及附属庭院。新七间楼前天井东侧开有后门——正是传统"闱"的位置。

　　中路主轴线以西是芝园。园内以湖泊型水池为构图中心，滨湖四周有石梁、石堤、折桥纤路、亭桥、廊桥、楼阁和复道等。园中主体建筑按照江南园林的常规布局，坐北朝南的楼阁，楼下匾题"延碧堂"，俗称"红木厅"。厅南出月台可观赏山水景象。园内主要观赏对景是近水所衬托的石山上连绵不断的楼阁、轩榭，居中一楼题作"御风楼"，楼下匾题"荟锦堂"，俗称"四照阁"，东侧"影怜院"，西侧"冷香院"。园北有"锁春院"花厅一组，西北角又有题作"洗秋院"的楼阁式花厅小院作为从体空间。依西墙廊桥连接有牌楼式的楼阁，题作"水木湛华"。

　　芝园属江南园林体系，但又有别于苏州园林的书卷之气。如建筑多施镂雕、纹彩装饰等，表现出富贵享乐的南宋遗风及富丽的杭州地方风格，这正反映了园林主人的特殊身份和审美情趣。

东方体系保护原则的体现
——信息持久传递的"原状复原"

　　建筑文化保存的原则，在《罗马宣言》、《威尼斯宪章》等国际文献中已形成世界性的共识，即一般来说不可以对古建筑遗址进行复原性整修。但这一共识却存在严重的问题，就是它忽略了东、西方古代建筑的差异。以中国为代表的东亚建筑文化体系，以土木混合结构为主导，它不像以砖石材料为主导的西洋古典建筑那样，即使有所损坏，不加修缮也能够比较长时间的作残缺保存。而中国古代建筑必须不断地及时维修，否则很快便会毁坏。日本对木构古建筑有定期重建的制度，这样才使上千年的古代建筑得以原形不变地保存至今。这种行之有效的持续保存古代建筑信息的做法，被称做"原状复原"。北京天安门城楼就是在 20 世纪 70 年代落架后完全用进口木材重新修建的。北京白塔寺山门也是原状复原的实例。在国外，日本前几年在平城京遗址上复原修建了千年前的皇宫大门——朱雀门，又正拟建宫廷前殿——大极殿。前不久德国复原修建了柏林墙查理哨所，就在最近，意大利修复了古罗马的大斗兽场，这些都是原状复原的成功例证。这种科学复原的文物建筑，不能与庸俗的商业化的假古董等同视之。胡雪岩宅邸按同样的原则复原整修，当是我国对文物建筑进行科学

"原状复原"的又一成功范例。

　　杭州修复了胡雪岩宅邸这一有名的历史建筑，为这座历史文化名城增添了一处著名的人文景观。我们殷切期望有更多的文物建筑得到整修，为子孙后代保存更多可据以感知历史文化的凭证，这是我们责无旁贷的历史使命。

杨鸿勋

于北京昌运宫

前　言

　　胡雪岩故居营造于清同治十一年（1872年），光绪元年（1875年）竣工，占地面积7230平方米，建筑面积5815平方米。其建筑选用了大量的紫檀、酸枝、金丝楠木、银杏、南洋杉、花梨和中国榉等名贵木材，耗资巨大。宅内明廊暗弄，布局巧妙，雕刻彩绘皆精美绝伦。芝园内更是亭台楼阁、湖水荡漾，别具杭州传统园林的特色。

　　一百多年来，胡雪岩故居历经沧桑。光绪二十五年（1899年）先是转归官僚文煜所有，后来又进驻过军阀。尤其自20世纪30年代以后，破坏更是惨重，其红木厅、楠木厅和百狮楼等重要建筑先后被拆毁，至维修前故居仅保留原有建筑的百分之五十左右。

　　本着浙江省委书记张德江提出的"建经济强市、创历史文化名城"的精神，1999年初，在市人大、市政协和各界人士的呼吁下，杭州市政府常务副市长马时雍肩负着保护杭州市这座历史文化名城的重任，会同政府有关部门对胡雪岩故居进行了考察。为了尽快抢救胡雪岩故居，保护这一重要的文物建筑，市政府断然做出了"当年搬迁、当年维修"的决定。当时居住在胡雪岩故居的有135家公房住户，3家私房住户，他们顾全大局，自市政府做出搬迁决定至1999年9月25日，基本搬迁完毕，为保护这一文物建筑做出了贡献。

　　同年，杭州市园林文物局责成杭州市文物保护管理所承担胡雪岩故居的维修任务，工程由高念华主持，张震亚、杨鸣、方忆等参与设计施工。我们一面拆除违章建筑，清理现场，一面抓紧对故居现存建筑的全面测绘和对遗址部分进行考古发掘清理。同时积极征集一切有关胡雪岩故居的图片、文字和实物资料，召集知情者及当地居民进行座谈，为胡雪岩故居的全面修复与复原掌握科学的依据，并向市领导作了汇报，在市政府和市园林文物局对全面修复同意后，当年修复工作全面展开。我们首先组织专业人员进行复原整修的考证与方案设计，并召开专家论证会，讨论修复工作的定位问题。我们聘请了国家文物局古建筑专家组组长、ICOMOS中国委员会副主席罗哲文先生、中国建筑学会建筑史学分会理事长、联合国教科文组织顾问杨鸿勋先生和清华大学建筑学院中国建筑史教授郭黛姮女士，担任修复工作的学术与技术顾问。浙江省古建筑设计研究院承担了部分复原整修设计任务。

文物建筑修复的关键问题在于修复原则的确定，也就是修复的标准问题。对这个问题的认识，即使在三位顾问之间也存在着很大分歧。我国学术界对文物建设的修复存在两种认识。一种认为，为了长久保存我国古代建筑，应按照其木结构的特点，在具备充分证据和科学依据的前提下，力求按照其历史原貌进行修复，而不能像砖石结构建筑的维修那样保持其残破状况。这是符合《中华人民共和国文物保护法》中"原样修复"原则的。另一种认为要严格遵守38年前国际民间组织所制定的《威尼斯宪章》对文物建筑整修的原则，修复中要保持残破状况，一旦修补，必须要有现代标记，即所谓"留白"。经过认真地分析研究，我们最终以尽可能恢复其历史原状为原则达成了共识。但在以后的修复工作中，不断有人以《威尼斯宪章》有关条例的整修原则为由干扰胡雪岩故居的修复工作。

　　施工过程中不断有上级业务部门对修复工作加以指责,无奈之下,我们通知有关设计单位,其设计必须按我们"对故居作全面修复和复原"的要求定位,否则更换设计单位。在胡雪岩故居接近全面竣工时,有关方面甚至动用政府机构的行政权力,下达文件勒令停工,将已完成的部分工程拆毁按照"留白"原则返工,要求必须按照《威尼斯宪章》的维修原则对故居进行整修。对此我们仍然遵守既定的修复原则,不惟命是从,不迷信洋人,本着尊重科学、实事求是的精神,在探索有中国特色的文物建筑保护之路上,立志将胡雪岩故居的修复工程做成科学修复文物建筑的精品。

　　我们的具体修复原则是:从总体规划到单体建筑的形制,包括建筑材料与工艺都尽可能按照故居原样设计施工。为此,我们对故居原有的木构材料等分别取样,送浙江省林业厅有关部门检测鉴定。对省内不能解决的,则送国家有关科研单位鉴定。经检测得知,故居建筑所用主要木材有紫檀、酸枝、花梨、银杏、南洋杉、中国榉和金丝楠木等,皆属高档名贵材料。在修复中,我们本着再现历史原貌、恢复故居原样的原则,力求采用相应的材料施工修复,确属无法采购到的,则用与该树种相近的材料替代,对建筑木构件的油彩装饰也均采用传统工艺修复。这期间杭州市园林文物局收集到的一幅1920年沈理源建筑师主持测绘的"胡雪岩故宅平面略图",对故居的修复工作起到了重要作用。在此基础上,我们对故居的毁坏部分进行科学的发掘后,做出了切实可行的工程设计方案。经过10

个月的精心施工，2001年1月20日，整修竣工的胡雪岩故居正式对外开放。

修复后的胡雪岩故居，复原了红木厅、楠木厅及百狮楼等毁坏建筑，完善了故居内的"十三楼"及附属园林"芝园"，再现了胡雪岩这位亦官亦商所谓"红顶商人"府邸的豪气。胡雪岩故居开放以来，受到了中央与地方各级领导和国内文物界专家以及各界朋友的高度赞扬，这说明修复工作是成功的，达到了"领导满意、专家叫好、群众叫座"的效果。

在此项修复任务圆满完成以及本研究报告出版之际，我们工作班子的全体成员向指导我们研究设计的顾问、支持我们工作的各级领导致以谢忱！尤其是浙江省委常委、杭州市市委书记王国平，多次到工地视察指导工作，慰问工作人员，使全体工作人员备感亲切，对此我们表示衷心的感谢。

在此项修复工程施工期间，工作班子人员废寝忘食、日以继夜地辛勤劳动，付出了许多心血，成绩斐然。全所同仁团结协作，密切配合，多有贡献。我作为这个项目的负责人，对此深感欣慰，谨此向全所同志再致深切的谢意！对在这次故居设计中一贯支持我们的浙江省考古研究所李子宁副所长表示感谢！对自始至终一贯给予我们支持、鼓励的浙江省文物局、全体顾问，深表感激之情！

Foreword

The construction of the Former Residence of Hu Xueyan began in 1872 (the 11th year during Emperor Tong Zhi's reign of the Qing Dynasty). It was not until 1875 (the 1st year during Emperor Guang Xu's reign) that the residence was completed. Costing a huge sum of money, the residence covers an area of 10.8 mu with a built-up area of 5,815 square meters. The residence complex is composed of thirteen units, which were built with large quantities of top-grade timbers such as red sandalwood, sourwood, nanmu, ginkgo, hoop pine, rosewood and Chinese beech. The overt corridors and covert lanes inside the residence reflect the ingeniously conceived plot in architectural layout. The construction craftsmanship is exquisite in brick-carving, woodcarving, stone-carving, lime sculpture and coloured painting. Highlighted by elegant terraces and pavilions, small bridges and murmuring streams as well as rockery and caves, the attached Zhiyuan Garden has a distinctive style of traditional gardens in Hangzhou. The residence can be considered a typical example as a luxurious one for the rich Chinese merchant at the end of the Qing Dynasty. The past 126 years has witnessed many vicissitudes of this residence. The possession of the house was first transferred to Wen Yu, a high-ranking official of the Qing Dynasty. Then, some warlords stationed here. Later, the site had been used as private property of individuals, a school, opera troupe, factory and living quarter for staff. Particularly, the residence has been seriously damaged in the past sixty years since the beginning of 1930s. Some major structures such as Mahogany Hall, Nanmu Hall and One-Hundred-Lion Tower were demolished one after another. Only fifty per cent of the original architecture remained before maintenance began. Undertaking the important task of the renowned historic cultural city and appeals of people from all circles for preservation of the Former Residence of Hu Xueyan, Mr. Ma Shiyong, the deputy mayor from the municipal government, together with leaders of departments concerned went to the residence for an on-the-spot investigation at the beginning of 1999. With buildings set up against rules and regulations all around, the residence was dilapidated with serious hidden peril from fire. To rescue and preserve this important historic building in the renowned historic cultural city of Hangzhou, the municipal government made an absolute decision — "Move-out and maintenance in the same year". At that time, there were 138 households with public house property(including 3 households with private house property). All the occupants had moved out of the residence by September 25, 1999. And the expenses on the move-out amounted to over ¥23,000,000 yuan. In the same year Hangzhou Landscapes & Cultural Relics Bureau instructed Hangzhou Cultural Relics Preservation Administration to maintain the residence. The allotted time for maintenance was pressing. As soon as we accepted the assignment, we immediately organized a project team in charge of the restoration project. I was presider of the project team with Zhang Zhenya, Yang Ming and Fang Yi as team members. Meanwhile, we began to have the buildings against rules demolished and have the residence site checked up. Building waste transported in over 1,600 units (5-ton truck per unit) totally was removed. We did much preparatory work for restoration of this historic building, made overall mapping on remains and made archaeological excavation on historical site. Besides, we set about collecting any photographs, written and tangible materials and called insiders and local residents for informal discussions and survey. On the basis, we held that scientific basis for overall restoration was provided so that we reported to Mr. Ma --- the deputy mayor. Mayor Ma and

Hangzhou Landscapes & Cultural Relics Bureau approved of the overall restoration project. Then we organized professionals for textual research and project design, held specialist identification meeting to discuss positioning of the restoration. To ensure a high standard of restoration, we engaged three top-level experts from Beijing as academic and technical consultants. They are Luo Zhewen — director of the expert group on historic buildings of National Cultural Relics Bureau and vice-chairman of ICOMOS (China Committee), Yang Hongxun --- board chairman of Branch of Architectural History, Society of Chinese Architecture and consultant of UNESCO, and Guo Daiheng — professor of Chinese Architectural History of Architecture Institute at Tsinghua University. We entrusted Design & Research Institute of Historic Buildings of Zhejiang with restoration designing of the section. First, we carried out discussions and coordination with the Institute so as to unify the guideline in restoration designing and to define designing requirements. Part of the blueprint designed by the Institute basically met the requirements for the conformity with the previous condition, which was accepted and put into practice. The key point in restoration is to define the restoration principle, i.e., the standard of restoration. Even the three consultants held different viewpoints on this important prerequisite. One viewpoint held that, unlike brick-and-stone construction, it was unsuitable to keep wood construction in a dilapidated state in restoration for permanence according to the features of wood construction. That is, every effort should be made to restore the residence in accordance with the previous condition in history provided with sufficient evidence and basis, which is in conformity with the principle of "restoration to the previous condition" stipulated in Cultural Relics Preservation Law of People's Republic of China.

The other viewpoint held that we should abide by the restoration principle on brick-and-stone construction in Venice Charter formulated 38 years ago by a non-governmental international organization, i.e., retaining the dilapidated state in restoration – a must of "clear vanish". After discussion, the consultants seemed to have reached a common recognition on restoration to the previous condition in history as possible as they can. However, in subsequent restoration, the principle on brick-and-stone construction in Venice Charter has always been interfering with the whole restoration process. Higher specialized departments made charges against the restoration or went so far as to issue official documents to interfere with the restoration task of strong academic theorization, in which the restoration must be stopped by order and some completed parts must be demolished for reconstruction by means of "clear varnish" according to Venice Charter. Abiding by the set restoration principle, we have adopted an attitude of showing respect for science and seeking truth from fact so that we will not blindly follow senior officials' willpower or have faith in foreigners. Having the courage to find out a road with Chinese characteristics leading to preservation of historic buildings, we are resolved to restore the Former Residence of Hu Xueyan into a scientifically renovated exquisite historic building. The principle of all-round restoration is reflected as follows: every effort is made to retain the previous condition of a comprehensive planning or the shape and style of a single building, including building materials and technology. For instance, samplings made respectively to timbers of existing architecture were sent to departments concerned of Zhejiang Forestry Department for specialist identification and laboratory test. And samplings that could not be identified within Zhejiang Province were sent to national scientific research institutions concerned, for determination. The laboratory test indicated the rare and top-grade building materials such as red sandalwood, sourwood, rosewood, ginkgo, hoop pine, Chinese beech and nanmu were selected for construction of the residence. The construction of Hu's luxurious residence went to such extremes to flaunt Hu's wealth that the imperial palace in the Forbidden City in Beijing could not compete with the residence in using so many quality building materials. In the restoration, we, in line with the principle of reviving the previous condition in history, have adopted identical building materials. In case that we were unable to obtain certain timbers, we would use similar ones as replacements. We also did our best to restore the paint colours of the architecture to the previous condition. For example, paint and techniques similar to those practiced in old days were adopted for coating on wooden components. That's how we treat with dilapidated parts remaining in the residence. As it is possible for us to master the basis for scientific renovation, we have made overall restoration and revival to destroyed parts. We made every effort in gathering reference materials for restoration such as old photographs, early written records, archaeological materials of the ruins, recollections of witnesses as well as the "Plane Figure of the Former Residence of Hu Xueyan" mapped in 1920 by an architect named Shen Liyuan as the director. On the basis, we made textual research to destroyed parts for restoration and made project design for practical construction. During the construction, we recruited capable and talented people to do different jobs in timberwork, tiling and plastering, brick-grinding, woodcarving, lime sculpture and stone-engraving. More than 500 constructors spent ten months in the project that cost ￥30,000,000 yuan. The restoration was completed on January 20, 2001, on which the residence was formally open to the public. Mahogany Hall, Nanmu Hall and One-Hundred-Lion Tower have been restored in the renovation. The thirteen units and the attached "Zhiyuan Garden" have been perfected. All these have revived the luxurious style of the residence once possessed by the so-called "merchant with red-topped official hat" who were both an official and merchant. Leaders from the central and local government for visit before acceptance and inspections, and people from all circles including authorities from domestic cultural relics circle and the masses have warmly praised for the Former Residence of Hu Xueyan shortly after the residence was open to the public. This shows that the restoration is successful and has achieved the result "that makes leaders satisfied, experts shout 'Well done' and appeals to the masses". At the time of the smooth completion of the research, design, restoration construction and the research paper, we, the project team would like to extend our gratitude to the consultants who have directed the research and design as well as the leaders who have supported us in the restoration. In view of the requirements of high standard, pressing time limit for the project and high risk, the project team worked diligently day and night and they were so absorbed as to forget food and sleep. At crucial moment, even all colleagues of Hangzhou Cultural Relics Preservation Administration went all out to fulfil the restoration project. I, as presider of the restoration project, would like to express my deep gratitude again to all the colleagues participating in the project. I feel very much indebted to the consultants who have always been giving us support and encouragement whenever we meet with difficulties at the beginning, during the restoration or upon the check before acceptance.

第一章 Chapter 1

红顶商人胡雪岩

Hu Xueyan — A Merchant with Red-topped Official Hat

胡雪岩，名光墉，字雪岩，1823 年生，杭州人，祖籍徽州绩溪。亦官亦商，世称"红顶商人"。

图1 胡雪岩像

胡雪岩，名光墉，字雪岩，1823年生，杭州人①，祖籍徽州绩溪，亦官亦商，世称"红顶商人"（图1）。因家境贫寒，12岁那年（1835年）开始在"开泰"钱庄学徒。胡雪岩生得一双四面八方都照顾得到的眼睛，人谓其有"财神之目"，一看就是个绝顶聪明的人。他不仅能言善道，而且具备吃苦耐劳、谨慎稳重的品格，外加一张常开的笑口，人缘极好。三年满师后，胡雪岩即升为"跑街"，成为开泰钱庄的一名得力伙计。

至于胡雪岩如何起家乃至最终改变自己的命运，一直有不同的说法。一说是，他后来所在的阜康钱庄肆主无子，爱胡雪岩勤敏且有胆略，临终时以全肆遗之②。又一说是，胡雪岩曾对一个穷困潦倒名叫王有龄的人及时赠送过五百金，后王北上得官，回浙后重酬胡雪岩，因以发迹③。第三种说法是，胡雪岩骗得他人资财，自开钱庄，并善于与官场中人往来借此发迹④。第四种说法是，胡雪岩因殷勤诚实，得一富商王某赏识，将十万金托付给胡，胡用此作为周转资金，得以发迹⑤。第五种说法说，胡雪岩为他人打工时，曾自作主张借给一湘军军官二千白银作军饷，后来被这个军官延聘到军中，辗转荐至高官王有龄处，受到了重用而发家⑥。虽然胡氏起家之说各异，但胡雪岩与两任浙江巡抚王有龄的关系密切是显而易见的。同时他与左宗棠也颇有交情，据清光绪《杭州府志》卷一百四十三记"（胡光墉）见知于巡抚王有龄，值发匪扰浙，委办粮械缓急相倚。咸丰十一年冬，杭城垂陷，光墉航海运粮，兼被子药，力图援应。由海道入钱塘江，为重围所困，不得达，遂以所办粮药献湘军大营。"因献

粮有功，左宗棠对胡雪岩尤为偏爱。同时，不可否认的是，胡雪岩极富经商天赋，不仅聪敏过人，而且胆识超群，对瞬息万变的商场应付自如。再加上与左宗棠的特殊关系，胡雪岩得以在茫茫商海中脱颖而出。在左宗棠的庇护下，胡雪岩敛财的路子越走越宽，积富的步子越迈越大。他开药店、办船厂、购漕粮、倒生丝、贩军火、筹军饷、借洋款、坐收渔利，大发其财，时人以"财神"誉之。他以阜康银号为龙头，广开钱庄，借官款周转，向洋人挑战。在晚清"学而优则仕"的时代，他却走了一条"贾而优则仕"的晋升之路，这与一般的捐取功名是不同的。他由富而贵，官至候补道，衔至布政使，阶至二品顶戴，服至黄马褂，达到了极其显赫的地位，所以时人称之为"红顶商人"。其大红大紫，大富大贵于一时，令无数商人望其项背，自叹弗如。

钱庄与银号，是胡雪岩发家的根源，也是其致富之根本。胡雪岩设在杭州珠宝巷内的"阜康"钱庄，是当时杭州城最大的一家私人钱庄。他以杭州阜康钱庄为依托，辐射北京、上海、宁波、汉口和福州等地，在全国开设了近10家钱庄①。这些钱庄一方面吸收达官贵戚、富商大贾的大量私人存款，另一方面又因胡雪岩与军界保持着密切联系，还大量吸收国家的钱粮公款。胡雪岩嫡孙胡亚光在《安定遗闻》中写到："阜康之发达一日千里，由钱肆而银号，不十年分号遍全国，积资三千万有奇，名洋溢，妇孺皆知。"因此"阜康"成了客户心目中不倒的金字招牌。

典当和药店是胡雪岩打开局面，赢得民心的基础。按胡雪岩的经商策略，开当铺和药店可显示"济世善举，广救于人"的公益之心，又是一本万利的生财之道，既让"胡雪岩"三字深入人心，又广开滚滚财源之路，可谓利人利己、名利双收的好事业。胡雪岩的典当铺规模也很大，其

中江、浙一带有23家，湖南、湖北有3家。而真正让胡雪岩声名远播的事业，当属其全盛时期创办的"胡庆余堂雪记国药号"了。胡雪岩当时创办药业，主要是因为他在这个时期的事业发展得尤为顺利，钱庄、典当遍地开花，有足够的经济实力来支撑药号的创办。另一方面，也是他见地超群，捕捉住了当时政府、民众所急之需的商机。同治、光绪年间，各地战事频起，伤亡无数，疫病盛行，胡雪岩力邀江、浙名医，研制出"避瘟丹"、"诸葛行军散"、"八宝红灵丹"等药品，寄交曾国藩、左宗棠军营及灾区陕、甘、豫、晋各省藩署。文献记载："历年解陕、甘各军营应验膏丹丸散及道地药材，凡西北觅不出者，无不应时而至。"⑧

胡庆余堂筹建于同治十三年（1874年），光绪二年（1876年）设胶厂于杭州涌金门，光绪四年春（1878年）大井巷店屋落成正式营业。"谋出于实，策精于算"，胡雪岩在经营胡庆余堂时将其思维缜密、善于经营的特长发挥得淋漓尽致。无论是择地造屋，还是办店宗旨、经营特色及内部管理，胡雪岩都做了精心策划。大井巷是农村香客上城隍山进香的必由之路，每逢香讯来潮也就是胡庆余堂的营销旺季。靠清河坊一面墙7个20平方米的特大汉字"胡庆余堂国药号"，使来往行人无不驻足仰望，店名自然铭记在心。胡雪岩的办店宗旨更显其独具匠心的风格，颇富现代特色。胡庆余堂挂有两块牌子，对外挂"真不二价"，对内立下"戒欺"匾额，旁有跋云："凡百贸易均著不得欺字，药业关系性命，尤为万不可欺。余存心济世誓不以劣品弋取厚利。惟愿诸君心余之心，采办务真，修制务精，不至欺予以欺世人，是则造福冥冥，谓诸君之善为余谋也可，谓诸君之善自为谋也可。""戒欺"不仅包含着现代经营理念——将顾客奉为赐予财富的上帝，还强调质量是企业的生命，力求"务真"、"务精"。这

正是"商贾中奇男子"胡雪岩的过人之处。

太平军进军大江南北时，胡雪岩曾不遗余力地帮助清政府。在杭州被困之际，城中粮草极为匮乏，胡雪岩主动请缨，冒险突出太平军的重围，前往上海筹款购粮。待运粮回杭，途中获悉杭城失陷，王有龄殉职时，胡雪岩悲痛不已，执意在城外等候3日，希望事态有所转机。然而事与愿违，胡雪岩庄重地朝杭城方向磕头而去。这固然反映出他与王有龄亲密的私人关系，但也说明胡雪岩所着眼的不仅仅是友谊和钱财，而且关心着时局。

杭城失陷后，左宗棠接替王有龄做了浙江巡抚。一些心怀叵测的人在左宗棠面前诋毁胡雪岩发战争财，私吞粮款，左宗棠因此对胡雪岩心怀芥蒂。处事干练老道的胡雪岩不露声色地抓住时机，消除误解，在左宗棠困难之际及时地伸出援助之手，使得左宗棠摆脱了缺粮的困境。清光绪《庄谐选录》记载："胡（雪岩）忽进米十数舟于

左（宗棠），并具禀告：'匪围杭城之际，某实领官款若干万两，往上海办米。迨运回杭，则城已失陷，无可交待，又不能听其霉变，故只得运回上海变卖。今闻王师大捷，仍以所领银购米回杭，以便消差，非有他故也。'时东南数省，当沦陷后，赤地千里，左方以缺饷为虑，得胡禀，大喜过望。乃更倾心待胡。凡善后诸事，悉以委之。"另据清光绪《杭州府志》载，胡雪岩在上海买办军粮军需，联帆二十余艘，驶入钱塘江。此时，正值太平军再克杭城，杭城被围，不得通，胡雪岩将已运之军粮匿置僻处，为取得左宗棠的信任，将军粮军需献之于刚率湘军入浙的新任巡抚左宗棠。这在左宗棠奏稿《官军入浙应设台转运接济》中得到印证："臣军已入浙。所有饷需一切，自应设粮台转运，以资接济。……现拟暂于江西广信府设粮台，为收去军饷子药总汇，每于玉山设转运局。随时转运以利师行。……闻籍贯浙江之江西候补道胡光墉，急公慕义，勤干有为，现以行抵江西，堪以委办台局事务。以浙江之绅办浙江之事，情形既熟，呼应较灵。"可见，如左宗棠未得到胡雪岩济助的军粮军需，是不会夸他"急公慕义，勤干有为"的。而此后的胡雪岩又进一步运用他亦官亦商的身份，往来穿梭于沪、甬（宁波）、杭之间，与商人打交道。在左军入浙后的两年中，胡雪岩除经办粮台转运局务，接济军粮军火外，还替左宗棠组织"常捷军"，攻下宁波，进而进驻杭州。嗣后，左宗棠又上奏为胡雪岩请功："江西候补道胡光墉，自臣入浙，委办诸务，悉臻妥办，极为得力。"胡雪岩主动献粮有功，不但诋毁之言不攻自破，还博得了左宗棠的欢心。傍上左宗棠这棵大树，胡雪岩如鱼得水，愈发得激情飞扬，其事业又上了一层楼。左宗棠有了胡雪岩也如虎添翼。胡雪岩依靠自己在洋场的信用，帮助左宗棠筹购军火使得左棠在战场上屡屡获胜，从此他也就极力推崇胡雪岩。

同治五年（1866）年，左宗棠奏请设立福建船政局，在奏折中左宗棠着重推荐胡雪岩，认为胡雪岩才长、心细、熟谙洋务，素为洋人所依赖，可将船政局的重大事务如一切工料及请洋匠、雇华工、开艺局等责成胡一手经理，将胡雪岩视为"船局断不可少之人。"左宗棠还用"密保"的形式单独保荐胡雪岩，措辞极有分量，认为胡急公好义，实心实力，"迥非寻常办理赈抚劳绩可比。"恳请"破格优奖"，赏加"布政使衔"。同年7月，清政府发布上谕，调左宗棠担任陕、甘总督，率领湘军西征。胡雪岩即奉左之命办理上海采运局，购运西洋军火，转运东南协饷。胡雪岩做事极为尽力，"每关军事紧急时，不待函商，必设法筹解以维大局。"

在采购军火方面，胡雪岩善"工心计"，准确把握商机，成"事半功倍"之效。"所购西洋军械能精察良楛利钝，伺镑价平时，广为收购，皆新式利器，价廉利用。"①正因为胡雪岩的鼎力支持，左宗棠的西征军才能"所向无敌"。特别是在光绪元年（1875年）左督办新疆军务时，胡雪岩购得的新式武器普洛斯后膛螺丝开花大炮及后膛七响洋枪等军火，为速定新疆阿古柏叛乱，赶走英、俄入侵起到了决定性的作用。

胡雪岩对筹军饷一事也颇为用心。同治十二

年（1873年），左宗棠在《请赏道光胡光墉母匾额折》中提到军饷问题时说："臣军西征度陇，所历多荒瘠寒苦之区，又值频年燹兵，人物凋残殆尽，本省辖境，无可设措。各省、关欠解协饷，陈陈相因，不以时至……每年岁事将阑，辄束手悬盼，忧惶靡已，胡光墉接臣预筹出息借济缓牍，无不殚诚竭虑，黾勉求之……均如期解到，幸慰军心。"在湘军、淮军多次出现"哗饷"的情形下，由于胡雪岩慷慨相助，西征军从未"闹饷"，因此令左宗棠感激不尽。左氏于光绪四年（1878年）载誉回京，立刻为胡雪岩邀功，认为其功实与"亲临前敌无异。"

而真正让胡雪岩名利双收的莫过于借洋款一事了。胡雪岩通过散布于各地的钱庄、银号和当铺，组建起一个较为完整的金融网络，有足够的资金支持，再加上胡庆余堂众口皆碑的良好声誉，洋人对他也是刮目相看，视其为"中国第一人"。由于清政府的腐败，洋商并不信任政府，沈文肃（葆桢）剿台北生番时，缺饷，欲借英商银六百万，归海关扣还。英商则强调"券中必得胡某（雪岩）画押方可。"而身为军界高官的左宗棠为西征借款，也有赖于胡雪岩的私人担保。《慎节斋文存》中提及："陕甘逆回起，肆扰关内外，朝命左公督师往剿。左公欲贷洋款，洋人不可。计无所出，商之胡，胡曰：'公第与借，某作保，合当允行。'故借得五百万金。"自然，左宗棠对胡雪岩更是宠信有加，两人的合作也更为默契。胡雪岩为左宗棠借款筹饷，从中也攫取了巨额利益。自同治六年（1867年）七月至光绪七年（1881年）四月间，胡、左曾借款6次，共计一千七百七十万两。当时贪污受贿，收受佣金、回扣成风，当然胡雪岩与左宗棠也不会例外。

"助人为乐"、"乐善好施"也是胡雪岩的经营策略之一，由此胡雪岩在商界树立了良好的形象，增强了社会对他的信任。胡雪岩发迹之后，每逢朝廷有战事或各省有大灾荒，均不惜解囊，既出钱又出力，极力相助。同治十年（1871年），（胡雪岩）奉伊母胡金氏之命，以直（隶）省水灾

绪三年（1877年），陕西省旱灾，胡雪岩拟捐银二万两、白米一万五千石，后因路远运输困难，将白米一万五千石折成三万两银共捐银五万两。后又捐输江苏沭阳县赈务制钱三万串。捐输山东涤银二万两、白米五千石、制钱三千一百串、新棉衣三万件。捐输河南银一万五千两。清光绪《杭州府志》卷一百四十三记载："光墉性好善里中，善举义事，皆力为之。常以母命助振棉衣，至银五万两，先后捐助振饷数十万两，创设钱江义渡，至今利赖。"光绪七年（1881年）起，胡雪岩利用自己在社会上的声誉和经济上的实力，报经省巡抚批准，历时5年筹措，独资捐助五千银元在江干南星桥和萧山西兴长河之间首创钱江义渡，免费接送过江行人，极大地方便了往返于钱江两岸的民众，在杭城赢得一片赞誉之声。他还帮助左宗棠在杭州"主持善后诸事，设粥厂、难民局，设'义烈'遗阡，继而设善堂、义塾、医局，修复名胜寺院，凡养生送死，赈财恤穷

较广，捐奏棉衣一万件，嗣复添制棉衣五千件，并捐牛具、籽种、银一万两。以津郡积潦未消，籽种不齐，续捐足制钱一万串，以助溟水籽种之需……"而在甘肃遭寒冻之灾后，胡雪岩奉母之命"将平日节缩所存捐制加厚加长棉衣二万件……又另劝捐棉衣裤八千件，均于去年（同治十一年）七月间运交臣军后路粮台，输解前来。"⑪光

之政，无不备举。"⑫历年来，西征军的诸葛行军散、避瘟丹、神曲、六神丸之类的成药，治跌打损伤的膏药、金疮药也均由胡雪岩捐赠。他还为清末"四大奇案"之一的杨乃武、小白菜案慷慨解囊，资助杨乃武之姐杨菊贞赴京申冤。胡雪岩所有这些乐善好施的举措，为他赢得了信誉和知名度，使他的商业日趋兴隆，"以是京内外诸钜

公囊中物，无不欲以阜康为外库寄存⑬。"

左宗棠为报答胡雪岩的"神助"之功，同治十二年（1873年）上疏《请赏道员胡光墉母匾额折》，列数胡雪岩奉母命捐银赈济的事迹。母凭子贵，为此，胡老太太也博得一个正一品的封诰，使得胡雪岩在杭城元宝街的住宅，得以高起门楼。光绪四年（1878年）春，左宗棠的"勋业"达到巅峰，"西征"大获全胜，被晋封为二等侯。左宗棠深知没有胡雪岩筹饷及后勤支援，"西征"不可能成功，他会同陕西巡抚谭钟麟，联衔出奏，请"破格奖叙道员胡光墉"，历举他的功劳，计9款之多。奏折中请予"破格优奖，赏穿黄马褂。"奉旨准如所请。终清一朝，可穿黄马褂的商贾惟有胡雪岩一人⑭，可谓红极一时，《清代七百名人传》中还有赐胡雪岩"紫禁城骑马"的记载。

随着胡雪岩地位的节节攀升，奢侈的派头也非寻常所能及。同治十一年（1872年），胡雪岩在元宝街占地10.8亩的宅第破土动工，耗资估计二三百万两。"其构造宏丽，雕镂纤巧，甲于近代"⑮，宅内元配夫人入住的百狮楼，栏杆上装饰100个紫檀磨成的狮子，构思精巧。狮子的眼睛均用黄金做成，光芒四射，华丽至极。园林内用八万金落成的大假山，及其所置松石花木，也都备具奇珍，堪称清末第一豪宅。胡雪岩在经营庞大的金融产业的同时，也从事其他贸易，其中以丝业为最。刘声木在《异辞录》中称："江浙丝茧

为出口大宗，夷商把持，无能为竞。"胡雪岩涉足丝业后，并不满足于做洋行和外国银行的附庸，藉阜康银号存款，以及地缘关系与交际广泛的优势，逐渐把出口经营的主动权掌握在自己手中，一举成为丝业巨子。《光绪实录》卷一百七十四中提到：光墉所营以丝业为巨擘，专营出口，几垄断国际市场。

"成也萧何，败也萧何"，胡雪岩靠与洋人做生意发了大财，也因洋人而败家。光绪八年（1882年），他垫资白银两千万两，套购了市面上所有的生丝，一举垄断了生丝市场。据《见闻琐录》后集卷一载："夷人欲买一斤一两而莫得。无可奈何，向胡说，愿加利一千万买转此丝。胡谓非一千二百万不可，夷人不肯。……夷人遂谓此次倘为胡所挟，则一人操中外利柄，将来交易，惟其所命，从何获利？遂共誓今年不贩丝出口。至次年，新丝出，胡邀人集资同买，谓再收尽，则夷人必降服，必获厚利。"此时倘若华商能齐心合力

促成此事，则"中国利柄不至为外洋所握。"然而，胡雪岩对华商与洋商财力的过分悬殊、华商形如散沙而洋商通力合作的局面估计不足。在这关键时刻，华商竟无一人响应，胡雪岩以一人之力当然难抵外商合力。加之由于他和左宗棠交往过密，与左在政见上有分歧的李鸿章派为削弱左宗棠的力量，也将胡雪岩视为眼中钉，正伺机打击，这场撼人心魄的中外生丝大战自然以胡雪岩的一败涂地而告终。从此胡雪岩一蹶不振，但他所表现出来的崇高的民族气节，却为国人所景仰。

《胡莘卿先生讣文》中也提到外商联合对付胡雪岩的情况。"先曾祖……以生丝推销国外，……为西人所忌，阴谋破坏，联合各国丝商拒购华丝，致先曾祖所储之丝数百万担，日久霉烂，损失綦重。经济顿告阻滞，累及所创之阜康银号亦形搁浅，竟以闭歇。一生事业，尽付东流。"胡雪岩遭重创后，各路人马纷纷趁火打劫。当时上海海关有一笔由胡雪岩担保向外商的借款到期，听说胡雪岩经营生丝失利，经济困难，上海关道竟拒不付本息，外商就向胡索债。胡雪岩周转不灵的风声四起，大家都来挤兑存款。李慈铭在《越缦堂日记》（光绪九年十一月初七日）记："当时……都中富者，自王公以下……竟往取所寄者，一时无以应，夜半遂溃……"。挤兑之风对于胡雪岩来说无疑是雪上加霜，本来可以应付的局面因为挤兑而完全失去控制。光绪九年（1883年）十二月三日，上海阜康号宣布倒闭，上海道立即派刺史谢澄卿查封了胡雪岩设在浙江的4个典当行，胡雪岩苦心经营的金融帝国随之瓦解。光绪十年（1884年），胡雪岩为归还刑部尚书协办大学士文煜在阜康银号的存款，将胡庆余堂抵给了文煜。一年后，光绪十一年（1885年），曾经叱咤商海的"红顶商人"胡雪岩，在失意和穷困中忧愤而死。据杭州知府督同仁和、钱塘两县

回报，胡雪岩死在租来的小屋里，只见桐棺七尺，停放在堂，灵幔垂地，烛光如豆。经逐一查点，只有桌椅板凳等粗家具，别无细软贵重之物。胡雪岩耗巨资兴建的豪宅最终也难逃易主的厄运。光绪二十五年（1899年），文、胡两家订了一张契约："……今因胡氏邀同原中，将雪岩先生前戤元宝街老屋全所，另立杜绝卖契约，文府管业，以抵前项。……"胡雪岩的元宝街宅邸最后绝卖白银十万两抵给了文家，真可谓是：红顶商人红极一时，阜康盛衰弹指之间。

① 《杭州府志》卷一四三《义行三》。
② 胡嫡亲后代胡亚光《安定遗闻》。
③ 陈云笙《慎节斋文存》。
④ 段光清《镜湖自撰年谱》。
⑤ 欧阳昱《见闻琐录》。
⑥ 蔡冠洛《清代七百名人传》。
⑦ 杭州设立阜康银号；上海设立阜康雪记钱庄与阜康银号；宁波设立通裕银号与通泉钱庄；福州设立裕成银号；北京设立阜康福记银号；汉口设立乾裕银号。
⑧ 《左文襄公奏稿》同治十二年四月《请赏道员胡光墉母匾额折》。
⑨ 《谈浙》载："时杭绅胡墉于初八日在宁波用白壳船运米二万石由黄道关进江。十五日泊三廊庙，并被洋人同至守候数日，以江路被阻，粒米不能入，后卒为贼所有。"
⑩ 《杭州府志》卷一百四十三。
⑪ 《左宗棠奏稿续编》卷五十。
⑫ 《庄谐选录》卷十二。
⑬ 陈云笙《慎节斋文存》。
⑭ 清代红顶商人为数不少，如乾隆年间的盐商洪征治、江春等。据光绪《两淮盐法志》载："乾隆二十七年(1762年)二月十四日奉上谕：朕此南巡，所有两淮商众承办差务，宜沛特恩，以示奖励；其已加奉宸苑卿(正三品)衔之黄履，洪征治、江春、吴禧祖各加一级(从二品)。"按：从二品文官戴用珊瑚、戴红顶子，为乾隆下江南既出钱又出力的盐商因此成了"红顶商人"(见《两淮盐志》)。另：光绪年间上海商业巨子盛宣怀也是红极当时的红顶商人。盛在清末官至尚书(从一品)，声名显赫，他也是个亦官亦商的传奇人物(见《盛宣怀传》)。但以上几人均无黄马褂之耀。
⑮ 胡怀深编《虞初近志》卷九，许国英《记胡雪岩故宅》。

第二章 Chapter 2

故居概述

Whole Image of Hu Xueyan's Residence

胡雪岩故居是我国江南晚清私家豪宅的典型代表，始建于清同治十一年(1872年)，至光绪元年(1875年)完工。胡府占地面积10.8亩，约合7230平方米，建筑面积5815平方米，其内建楼13座，并建有园林"芝园"，为杭州最大的私宅之一。

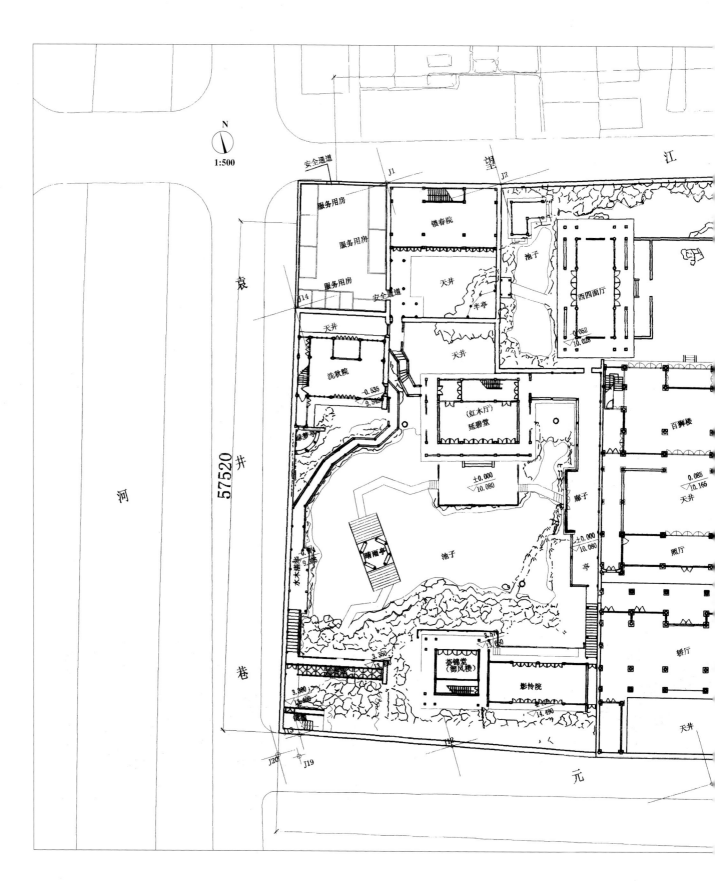

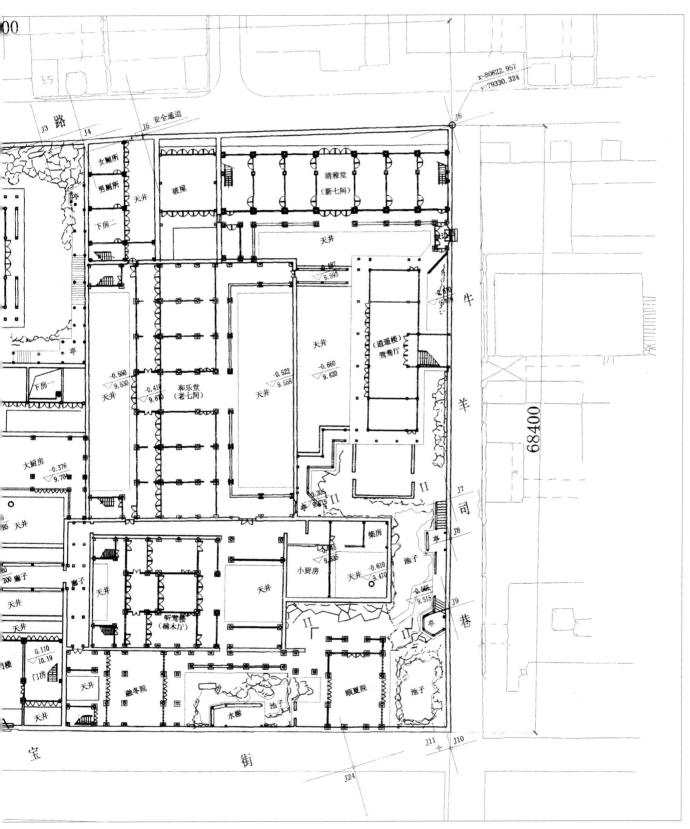

图3 胡雪岩故居平面图 （65：100）

故居四至：东起牛羊司巷，西至袁井巷，南靠元宝街，北达望江路，整个故居形成南北狭、东西宽的格局。但其长方形地界，缺了西北一角。笔者小时候就听长者说过，胡雪岩宅内妻妾成群，建筑拥挤，因此胡雪岩欲用重金将缺角地块收购建楼。该地为一小理发铺所占，无论胡雪岩出多高价，店主就是不肯出让，他只得作罢。民间传说，胡雪岩日后的破产，就是因为胡家府邸缺了那么一块地角的缘故——破了风水，"青龙方，如崩一角"。光绪二十九年（1903 年）行世的《胡雪岩外传》及 30 年代的《虞初近志》都提到这件事，说明这种说法在社会上流传近百年了。胡府占地面积 10.8 亩，约合 7230 平方米，建筑面积 5815 平方米，其内建楼 13 座，并建有园林"芝园"，为杭州最大的私宅之一。

　　胡雪岩故居是我国江南晚清私家豪宅的典型代表，始建于清同治十一年（1872 年），至光绪元年（1875）年完工。

　　故居坐北朝南，位于杭州元宝街 18 号，建筑规模与元宝街等长。元朝时，这里建有宝藏库，"元宝街"因此而得名的。元宝街不宽，只是一条百余米长的东西向弄堂。路面中间高两头低，靠西部中河一端尤为低。原来在街的东、西两端条石地面上有线刻元宝图案。这条街是杭州市区内现存惟一一处用石板铺装路面的清代街巷（图 2）。

图 2　元宝街

图4 狮子舞球砖雕

天井，东西两侧墙上均有精美细腻的砖细，在菱形纹饰砖细正中各有圆形砖雕，其中深凿的狮子舞球图案，其上刻有人物花卉和动物，栩栩如生，雕刻十分精细（图4）。由天井进入"门楼"，门楼分东西两部分。东侧为二层楼房，是胡宅门房人员工作和居住的地方。西侧一层面积约30余平方米，是大门通向宅内中轴线的过度空间。

大门朝南，位于宅院主轴线偏东侧南墙上，这是明清以来杭州住宅建筑的传统风格。将大门设在宅院主轴线的东南方——巽位，这种处理手法不仅达到了封建保守藏而不露的效果，从风水来说，巽位主文曲星旺，仕途发达。

进门向西是全宅中路主轴线上的轿厅天井。门楼与轿厅全部用珍贵的银杏木建造，轿厅天井前的高墙壁面采用通体砖细做法，犹如照壁。

所谓"轿厅"，就是出入宅邸落轿的大厅（图5）。轿厅天井东西两侧各有厢房，西侧厢房为轿夫下人小憩之处，东厢房实际是由门楼进入轿厅的过道，因此为了轿子进出方便东厢房均作落地长窗门，而西厢房则为半窗和较窄的扇门。两厢房窗上横披都饰花格。西厢房横披花格为菱角形图案，正中的长方形镜框内镶嵌五色玻璃。东厢房的花格采用卍字纹样。

轿厅南向，面阔五间，前面檐柱及老檐柱不设门、窗，开敞的轿厅配上匾额楹联更显得富贵堂皇。轿厅内上方正中悬挂所集清同治皇帝御书"勉

第一节 住宅部分
Section 1 Residential Section

修复后的胡雪岩故居基本再现了126年前的故居原貌（图3）。

走进元宝街，首先看到的是一道防范森严的壁垒高墙。墙上开有一座高大的杭式石库门，门扇黑漆油亮、光鉴照人。进门即仅十几平方米的

勉善成荣

做百般善事要大家利民利人

图5　轿厅

善成荣"匾额，左右次间和稍间分别挂有"奉扬仁风"、"经商有道"、"乐善好施"、"承天恩赐"匾额。这些匾额内容正是胡雪岩所标榜的为人处事原则。

穿过轿厅，正对面是坐落在中路轴线上的二门照厅。二门是一座雕刻十分精美的砖雕门楼，正中砖刻隶书"修德延贤"四字。门楼造型精致，雕刻构图严谨，为典型的江浙砖雕门楼。二门平时关闭，只有节庆日和红白喜事贵客临门时才开

启，平时由东西对称布置的左右小门进入正厅天井。小门前后都有水磨青砖雕刻的门额，东门砖细匾额正面为"神龙"，背面为"威凤"。西门正面为"灵龟"，背面为"祥麟"。照厅天井西墙有门，上题"芝园"，由此可直接进入园林。

照厅坐南朝北与正厅对峙，面对正厅悬挂着"映瑞临吉"的横匾（图6）。厅内东西两侧墙各作砖细门额，上面分别镌刻"宛若"、"含和"、"安然"、"优柔"。照厅为了与正厅相配，明、次间特

图6　照厅

大，但进深仅3.5米。这类照厅建筑在江南并不多见，由于进深狭小，使用功能并不强，实际上，它仅是为了形成工整的四合形制而设置的礼仪性建筑。

　　由照厅两侧小门北进，为通向正厅的檐廊。该廊的壁面采用立体几何形砖细图案，这种图案在国内比较少见。胡府内大多室内墙面都镶嵌砖细，图案形式近20种（图7）。

　　正厅是故居中轴线上的主体建筑，也是胡府

最主要的建筑（图8）。该厅坐北朝南，上下两层，面阔五间。明间宽5.5米、次间宽4.8米、稍间宽2.4米、通进深10.9米。据说此楼因用100个紫檀雕刻成的狮子装饰栏杆而又称"百狮楼"。正厅明间正中悬挂"百狮楼"匾，是重大节日和红白喜事时使用的大礼堂，又是接待、宴飨贵宾时使用的大厅，平时很少使用。左右次间廊上檐柱间都有靠背栏杆，别有一种富豪之气。东侧为主人的餐厅，按传统习俗其东面布置仆人住房和大厨

八角橄榄十字式

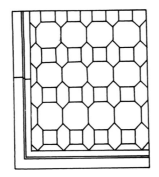

八角橄榄景式

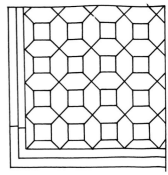

八角景式

八角灯景式

八角灯景菱花式

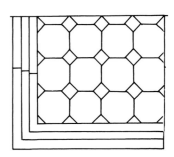

八角式

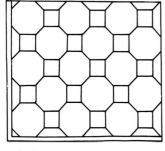

八角式

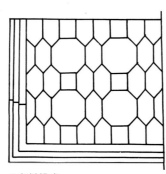

八角橄榄式

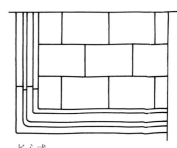

长方式

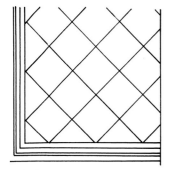

斜方格式

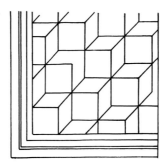

立方体式

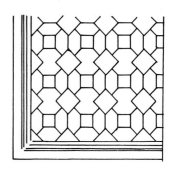

八角景式

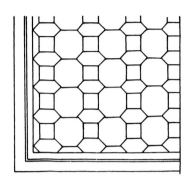
八角橄榄景式

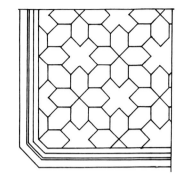
菱花十字式

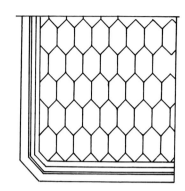
橄榄景式

菱花式

海棠式

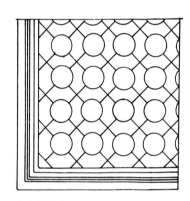
十字园景式

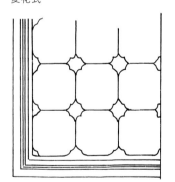
八角灯景菱花式

图 7　故居内砖细墙面图案

房等服务性设施。楼上为家长胡雪岩、胡母及元配夫人的卧室。

　　正厅的后面，是主轴线上最后一座庭院。这一组庭院中分别设两座东西向的内花厅，既东四面厅、西四面厅。为使两个花厅互不干扰，各作围墙相隔。西四面厅南侧有便门通向芝园，周围设小桥水池、假山园林，并设石阳台，阳台正中墙上有砖细匾额"吉祥安乐"（图9）。阳台石阶借假山盘旋而上，别有趣味。走下石阳台又有一L形亭子——"藏春亭"，此一处佳景有人称之为"真山水"。东四面厅东有园林天井，天井东沿墙筑有爬坡长廊（图10），一直通向倚后花园北墙而建的大假山。爬坡长廊的最高处有八角亭可供小憩，过亭子经假山小道下行方可进入假山溶洞，上行可蹬上假山通往对面的西四面厅和真山水。后花园呈两厅一庭的园林布局，东西两厅均衡相对，体量适宜，两厅之间用墙分割成天井，丰富了层次，增加了景致。为了避免建墙后空间

图8　正厅（百狮楼）

图9　正厅后花园西侧石阳台

图11　正厅后花园中央天井假山石

图 10　正厅后花园东侧爬坡廊

图 12　明廊

图 13　暗弄

图14 花厅一(融冬院)

过分的闭塞,在隔墙上开有圆形洞门。中央天井地面用不同颜色的鹅卵石铺成聚宝盆、元宝和铜钱等图案,光洁美观。天井北墙正中放置一座假山石,高4米余,玲珑剔透、造型别致(图11)。总之,后花园一步一景,设计巧妙,景致独特,在此无论是宴请宾客还是家族欢聚都称得上是一处绝佳之地。

正厅的东面有佣人住的下房,下房坐北朝南,面阔四间。下房南面一墙之隔是胡宅的大厨房,厨房在正厅天井东墙开门,也坐北朝南。

胡府东面的住宅部分由轿厅后檐廊的石库大门进入。进门先是一条西高东低的有棚长廊,作为主轴院落与东内院的过渡空间,长廊的两侧有狭小的天井,笔者称这条长廊为"明廊"(图12)。明廊的尽头是一条南北向的黑暗长弄(图13),它南通"花厅一",北达"楠木厅"、"老七间"等,这一幽深的过渡空间处理十分得当。此可谓"明廊暗弄"。

花厅一又称"融冬院",东西向,是一座三开

图15 小桥、水榭

间的二层楼房（图14）。它东面的花厅二又称"颐夏院"，为一层三开间的东西向建筑。这组建筑处于深宅大院的一角，四周筑墙，墙上有门可作全院通道，是一处相对独立的院落，占地面积虽仅13.8平方米，却营造出了优美多变的空间。在两花厅之间有小天井，内设小桥、水榭（图15），北侧有长廊与青石阳台相连接，多姿的怪石假山壁立于白墙之下，这种形式正是明代《园冶》所谓"峭壁山"的做法。该院落原是姨太太们居住的地方，因此颇具生活气息，园林空间与居住空间在这里有机地融合在一起。花厅二的北面，筑有高大陡峭的假山，在紧贴假山的高墙上，有精湛的堆塑，一眼望去似有百米之长（图16）。故居内墙壁多有堆塑，其中以这组最为细腻。这种堆塑装饰艺术在广东地区也十分普遍，但广东的风格热烈、粗犷，江南则以柔和、秀丽著称。而像胡府这样的堆塑，可称得上是江南地区堆塑艺术的精品。在颐夏院外墙的东北方，又建有水池、曲桥、亭台和斜廊与北面的"鸳鸯厅"相连接（图17）。

"鸳鸯厅"、"老七间"、"新七间"及"破屋"，是胡宅东区建筑较为密集的区域。这个区域的园林布置不多，却点缀得非常恰当。

鸳鸯厅坐东朝西，为面阔五间的两层建筑，形制构造十分别致（图18）。在江、浙一带，取名"鸳鸯厅"的，多是因为室内梁架前后各异或左右各异，而这里的却是由于建筑南、北檐柱柱网分布间距不同而称之为"鸳鸯厅"的。该厅前为鹅卵石满铺的天井，厅对面的封火墙上装饰了4面大型砖雕景窗（图19）。墙顶部三线叠涩下，均作造型极其精美的堆塑。

鸳鸯厅的北面为新七间（图20）。新七间又称"清雅堂"，坐北朝南，面阔七间，是一处建造稍晚的楼房。楼上是胡雪岩子女居住的地方，楼下是宴请至亲好友的内眷厅堂。新七间多用花梨

图16 花厅二北面墙上堆塑

图17 花厅二外墙东北园林

图 18　鸳鸯厅

图 19　鸳鸯厅砖雕景窗

图 20　新七间（清雅堂）

木和波罗格木材建造而成，额枋和牛腿等构件的木雕工艺十分精湛（图21）。新七间的西侧有一座独立的小院落，四周起高围墙，这里在沈理源实测图上注明"破屋"，很可能是1920年沈理源测绘时该屋已残破而被称为破屋。破屋为坐北朝南的两层楼，与新七间仅隔一墙，不设楼梯，其二楼开有洞门与新七间二楼相通。因此二楼应是佣人居住的地方。出新七间天井向西沿廊子进石库门就是老七间。

老七间又称"和乐堂"，坐西朝东，是面阔七间的二层楼房，为胡府内最大的建筑（图22）。其一层原为胡雪岩的书房（图23），楼上为姨太太住房，后檐北次间下有一面积7平方米多的地下室（图24）。该地下室全部采用当时最流行的严州青石砌成，枭浆石灰嵌缝，防潮性能极佳，此地应是胡雪岩放置钱财与密件的地方。在前檐廊的两侧砖细山墙上，各雕刻精致的龙凤图案，十分华贵。老七间建筑用材极其讲究，均采用南洋杉木和银杏木，门窗和隔扇则使用紫檀木、中国榉木、花梨木、酸枝木和黄杨木等制成。

值得一提的是，维修前，我们发现在老七间二楼与一楼的每个房间有一根柱子上雕凿一道深槽，内装有铜管及金属线。从现存的遗迹发现，铜管线通向与老七间相邻的下房。这应是通讯设施，这在当时国内是绝无仅有的。

老七间两侧出院的门洞上各题有"竹苞"、"松茂"门额（图25），似提示人们院外有草木茂盛、生机盎然的景观。

老七间的二楼北侧有小门通向下房二楼。下房坐西朝东，上下各三开间，主要是佣人居住的地方。下房采用上等的波罗格木材建造，门窗均施雕刻。

老七间的东南方是小厨房。小厨房坐东朝西，主要是供应子女及内宴之用。小厨房西面为边厅。

图21 新七间额枋和牛腿雕刻

图22 老七间(和乐堂)

图23 老七间楼下书房

图24 老七间地下室入口

图25 老七间南廊题有"竹苞"的匾额

边厅或称"载福堂",为坐西朝东的三开间两层建筑。该厅因原全部用上等的金丝楠木营造而又称"楠木厅"(图26)。楠木厅是胡宅内的主要厅楼之一,建筑宏敞精丽,因其特殊的用材,夏天特别凉爽。国内的古代园林建筑中常见"楠木厅",但一些私邸的"楠木厅"往往只是部分构件采用楠木,而胡宅楠木厅建筑面积达445平方米,全部建筑构件皆采用楠木,可见胡宅的建筑档次之高。

楠木厅的东面有一青石铺地的小天井,正前的封火墙墙顶三线叠涩下装饰彩画,其内容涉及"西游记"及戏剧故事等(图27)。这批彩画从剥落的粉刷层看,彩画压彩画,共有三层,似乎是当年营造时不合胡雪岩心意,一遍遍返工而成的,从中我们可以窥见胡雪岩对豪宅质量的挑

剔。

整个东区建筑似乎十分拥挤,但经过巧妙的规划设计,使人感到密而不窒、富有层次,很有人情味和生活气息。

图 26　楠木厅（载福堂）一角

图 27　楠木厅天井围墙上的彩画

第二节 芝园
Section 2 Zhiyuan Garden

　　胡宅的西区为独立的园林——芝园。镶嵌在圆洞门上的"芝园"匾额，是清同治十一年（1872年）李世基题写的。"芝园"的涵义有两种说法：一说是为纪念父亲胡芝田，胡雪岩用"芝"字命园名。二说是芝园的设计师是一位皇家造园高手，因他的名字叫尹芝，故以名园。也许胡雪岩纪念父亲的说法更合乎情理。

　　据传，当年胡宅造好芝园后，不合胡雪岩心意，决定重新建造，为此特聘请设计师尹芝。尹芝，同治年间湖北人，学问渊博，精通六艺，曾为京师王府门下清客，凡王爷治园，山林花鸟皆是他一手布置，因其作品精巧绝伦而名重天下。尹芝为芝园花费了许多心血，绘制了四五种图式，但仍不合胡雪岩心愿，最后尹芝住在灵隐寺飞来峰多日而绘成新图，胡雪岩看后大喜，并请来杭州湖墅杭派叠石师傅魏实甫等人，花费八万两白银按图重新营造了芝园。因此，有人称芝园为"擘飞来峰一支，似狮子林之缩本。"

　　芝园占地面积1342平方米，主体建筑为坐南朝北的三开间二层楼"延碧堂"，因其建筑都用红木材料营造，又称"红木厅"（图28）。厅的两侧有天井，并各凿水井一眼。出厅南入临水露台，可观赏全园山水景象，由于处于逆光角度，景象显得含蓄幽深，因而，近台水面所映衬的对面叠石大假山上连绵不断的楼阁、轩榭有如人间仙境。露台东侧有小桥直通沿芝园东墙而建的走

图28　红木厅（延碧堂）

图 29　四照阁（荟锦堂）

廊，出走廊东门可入照厅天井，过东门往南，有爬坡廊通向大假山。

大假山建于芝园的南面，山上正中建坐南朝北的二层建筑四照阁。四照阁又称"荟锦堂"（图29），当时在楼上凭栏眺望，南可见钱塘江，北可望武林门。

四照阁东侧有坐南朝北四开间的"影怜院"，据1903年《胡雪岩外传》说，影怜院中间也不用分间，两边云石砌墙，嵌了两大块金边大镜，可有八尺多阔，五分多厚，是英国的一位钦使送的。两面镜光互相激映，一层一层的也数不出有多少

层次。再居中悬着一架十三层的水法塔灯，是在日本定做的，府里共有三十余架，因地方大，挂着也不留意，此地有了这两面镜子相映照，便觉好看。况这灯又全是湖色洋瓷描金花的，六角挑起水法龙条，上面擎着灯、下面坠着瓷做的檐铎，风吹起来，满园子只听得琳琳琅琅地响着，真便是王宫后院也赛不过此。现有的影怜院在室内两侧山墙上各嵌一块大镜，居中悬灯，两面镜子相互映照，确实别有趣味（图30）。四照阁西侧有坐南朝北二层五开间、进深只有一米多的"冷香院"（图31）。

图30　影怜院内景

- 67 -

图31　冷香院

　　这组建筑下的大假山内，有高低不同的洞隧四通八达，洞内不仅凿有水井和小池，还有多处题刻和嵌碑，平添了文雅苍古的气息，真可谓"山中有洞，洞中有池，池中有井"（图32）。在洞内的西侧"云路"处又凿一井，这样多的水与井，应是出于开发水源的考虑，以保证园林中山水交融的传神景象。假山内的洞隧可分为4个洞府，洞口分别题刻"悬碧"、"皱青"、"滴翠"和"鞻黛"（图33），4个洞的风格刚好与"瘦、漏、皱、透"四字相吻合。这组艺术地再现了自然界喀斯特溶洞的石山作品，应是国内古典园林中规模最大的一个。值得一提的是在这么大空间的溶洞假山顶上还分别营造3座建筑，而且其中两座是二层楼，说明大假山的基础是作过精心研究和设计的。

　　芝园北部有"锁春院"一组花厅。锁春院又称"花厅三"，坐北朝南，为三开间两层建筑。红木厅西北又有题作"洗秋院"的楼阁式花厅小院，作为从体空间。洗秋院又名“花厅四”，为坐北朝南的三开间两层楼。厅前小院西侧建有扇面形亭——“绿梦亭”。东出洗秋院有曲折的贴墙廊桥连接依故居西墙而建的牌楼式楼阁——水木湛华，水木湛华南侧连接通往大假山的爬坡廊。

芝园中央布置象征湖泊的大水池，水池东北角有荷花池，东南有洗药池（图34）。值得注意的是，三池的水看似相连，其实并不相通，而且水面高低也不同。水池西部建造三孔石拱桥，桥上设二层重檐八角亭而成为亭桥的形式（图35）。亭桥两侧有折桥相连接，北可到红木厅露台，南可达大假山。假山的西侧高架一座石造扑凉台，气势峻峭，颇有仙气，这种景象为其他私家园林所未见。

芝园为山水园林，主体景象构图以水为中心，水中布置亭桥一座，四周布置密集的亭台、楼阁及假山，层次丰富，景象出奇。作为胡府园林最精华的部分，它与江南园林的风格和体系是一脉相承的，并又很好地反映了富丽的杭州地方风格。

总之，胡雪岩故居的营造距今已有126年了，虽按原样经过了修复，但今天人们对它仍有一种新鲜和神奇感，说明规划设计者及主人具有高超文化艺术修养和强大经济实力。

胡宅全院的三个区域在设计规划中，既严肃又活泼。主轴线上的轿厅、照厅和正厅即继承了中国传统建筑的营造方式和礼制，比较规范，但又不是完全墨守成规。如为了体现封建保守的藏而不露及风水上的需要，把正门设在非主轴线上，让人们一时看不到胡宅气派十足，富丽堂皇的主轴线上的各进建筑。还在主轴线上对称的建筑构件中作一些不对称的变幻。设计者在主轴线的后花园上也大花了功夫，其内有园林，有小桥流水，有假山溶洞，又有斜廊、亭台、花厅，还有碑刻、石雕等等，在这座后花园中创造了一步一景，处处是景的效果。同时，也充分体现了主人对中国传统思想、礼教的接受及对其灵活的改革和运用。

图32　芝园大假山的炼丹井

东侧的生活区又与主轴区的规则不同，设计者在这个区域利用巧妙的变换，建成几个既自然又紧凑，既互不干扰又有联系的院落。在该区的规划平面中，根据各自建筑的功能及追求自然情趣的需要进行了不对称的布置。因此生活区内房屋密集，整个区域转弯抹角、小中见大，难怪观者喻

之为"迷宫",使人觉得别有风味。在环境
布置设计中其整个格局则较自由,且多变化,力
图摆脱束缚,寻求人情味的生活乐趣。我们可以
看到,庭院空间尺度较小,建筑大小高低却错落
有致,同时采用天井、砖雕、石刻、碑石、堆塑、
彩画、游廊、水榭、假山、亭子、水池和阳台等
布景,形式独特、布置得体,加之富有变化的建
筑,使整个居住生活区的景观巧妙穿插、互为补
充、互相渗透、虚实交融,很有层次地在人们面
前展开。这种成功的布局设计真是十分难得。

西区内的"芝园"是胡邸最精华的园林部分,
它体现了江南园林的风格和体系,然而又不同于
苏州的书卷气,而是具有富贵享乐的南宋遗风。
其建筑多施刻镂、纹彩装饰,呈富丽的杭州地方
风格。园内以山水景象为主题,使水面与空间相
互渗透、似分似连,岸上的景色倒映在水中,既
加强了岸上景物的视觉冲击效果,又呈现出对称
式的完善构图。站在亭台,可以临水观鱼,又可
凭栏邀月。因此"芝园"是以湖泊型水池作构图
中心的。滨湖四周筑成曲折的石梁、石堤、折桥
纤路、亭桥、廊桥、楼阁、复道和游廊。园中主
体建筑按照江南园林的常规布局,西侧墙廊桥连
接的牌楼式小楼"水木湛华"进深只有2米多,它
与进深1米多的冷香院同属景象布局的需要,楼
上、楼下都没有实用功能,这种处理方法是江南
园林常用的。"芝园"内高者为山,低者为池,依
山筑楼阁,临水建亭厅,十分自然。再相应配廊
房,植花木,点山石,置园径,成处处是美景的
构图。在处理好这些平面的同时,又顾及立面竖
向的效果,包括建筑物的体量,用材的选择及屋
顶、假山和树木轮廓的变化等,使其有对比、有
节奏,形成空间景象的起伏。

江南的园林,尤其是私家园林建筑在清代应
属兴旺发达时期,其私家园林往往集中在扬州
和苏州两地,这些私家园林已被视为江南园林

图33　芝园大假山"悬碧""皱青""滴翠""瑿黛"四洞

的代表。

据记载南宋时的私家园林就很发达,明清时
也不有少名园,但由于各种原因,杭州至今遗留
下来的私家园林十分稀少,这是一大遗憾。位于
杭州西山路上的郭庄现已改变了不少,已很难完
整体现杭州私家园林的特色。胡雪岩故居与苏州
拙政园、网狮园等相比不仅其范围大小不同,而
且胡府还有大量的居住和接待功能,园林不属主

图34 芝园大假山下洗药池

图35 芝园桥亭

体，故胡雪岩故居"芝园"的园林布局不同于江浙名园，更不同于一般造园，确有它独到之处。"芝园"内的造园艺术在挤而不乱、错落有致中冲破常规，与众不同，并充分体现了杭州地方特色，它是江南地区造园的杰出代表。

胡雪岩宅邸整座建筑富丽堂皇，建筑构思巧妙，并选用了大量紫檀、酸枝、楠木、银杏、南洋杉、中国榉、花梨等高档木材建造，是我国一处十分优秀的晚清建筑，堪称清末中国近代巨商第一豪宅。

第三章 Chapter 3
故居修复前状况及修复任务的提出

The Condition before Restoration & Put-forward of the Restoration Task

故居于清光绪元年（1875年）建成后，胡雪岩在此居住8年有余（即至1883年）。由于胡雪岩经营丝绸生意亏本，累及公、私款项1000余万两白银，造成在上海、北京、杭州、宁波、福州、镇江和湖南等地的阜康钱庄全部倒闭，遂宣告破产。此后其故居历尽沧桑，修复前已濒临毁灭，1999年杭州市政府决定修复胡雪岩故居。

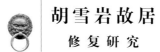
第一节 故居的变迁
Section 1 Vicissitudes of the Residence

故居于清光绪元年（1875年）建成后，胡雪岩在此居住8年有余（即至1883年）。由于胡雪岩经营丝绸生意亏本，累及公、私款项1000余万两白银，造成在上海、北京、杭州、宁波、福州、镇江和湖南等地的阜康钱庄全部倒闭，遂宣告破产。胡雪岩为归还清皇族文煜在阜康银号的存款将胡庆余堂抵给了文煜，并在光绪二十五年（1899年）文、胡两家订了一张契约，申明：

"立合同议据胡庆余堂药号：今议得本堂于光绪二年开设杭省大井巷地方，原系胡雪岩先生建造的房屋，创立胡庆余堂雪记药业，生意兴旺，四远驰名，诚为上等不朽之基。嗣因文氏与胡氏有存款交涉，而胡氏于光绪九年间业丝大亏，一时周转不及，凭中即将胡庆余堂雪记药业连同房屋生财全数替文府和记为业，以清款项。当文氏接顶时，仍以'胡庆余堂雪记'开业。'胡雪记'三字在照牌之上，声名久著，虽穷乡僻壤，无人不知，有关生意出入。经当时共同酌议，胡庆余堂红股一百八十股之内提出八股分润胡氏昔年创业之劳。以故文氏接开至今，日增月盛。今因胡氏邀同原中，将雪岩先生前戥元宝街老屋全所，另立杜绝卖契约，文府管业，以抵前项。三面议定，又如胡氏红股东十股，连前八股共计划内八股，并立支摺一扣，每年预交余利洋二千四百元，以资胡氏家用。余俟三年分红，再按股均派。所

有胡氏前之戥据红票等件，眼同掣销外，尚少红票，倘日后捡出作为废纸，从此各款全清，毫无纠葛。是系两相允洽，各无异言。以后不增不减，永为定例，相与庆余堂历垂不朽。恐后无凭，立此合同议单一式二纸，永远存照。"

再批："阜康银号原欠文氏红票银子五十六万两，前代介文氏捐款银十万两，又红票抵银二万两，现在元宝街屋绝卖找价银十万两，尚有红票四万两，俟后捡出，作为废纸。并照。"

从这张契约可见，胡雪岩原欠文煜总债务为56万两银，胡家最后所得的就是胡庆余堂的招牌股8股，文煜以50万两白银的存款巧取抵换了胡庆余堂和胡雪岩的住宅。

1911年孙中山领导的辛亥革命胜利后，浙江军政府没收了满族官僚在浙江的财产，之后故居实际由部队军阀所占有，故居内值钱之物包括那些铜构件均逐渐遗失。在此期间，上述有关部门一直招拍故居，应者无几。根据《虞初近志》卷九·许国英《记胡雪岩故宅》载："予此次续作西泠之游，已于湖艇再笔中详纪游踪；今兹所作，则完全纪胡雪岩之故宅而已。七月初五星期日，汪君来寺游散，语次及杭城近状，忽郑重言之曰：'杭城有一特殊建筑物，今将拆毁，后此更无缘可再观庐山面目，盍一往观？'予询安在？汪曰：'即五十年前大富翁胡雪岩之第宅是也。在元宝街，其构造宏丽、雕镂致巧，甲于近代。曩以家落，没入官中，辗转未获售主。今为某银行所有，将取其材移建他所（注：红木厅材料拆掉卖往上海，楠木厅移至杭州中山中路洋坝头兴业银行处），已支解十之三。"我们可以推算所言"五十年前"应是1934年左右。

从杭州市房管局的档案中查到："……胡雪岩故居浙江省民政厅、浙江省财政厅，为发给执照事，照得杭州市土地现经本厅分别整理兹查有业户蒋抑卮（注：兴业银行董事之一）坐落壹都

壹图第贰陆伍叁号地地图宅地地积：壹零亩陆分零厘叁毫，业经测量公布确定合行发给执照国实测地图仰该业户收执须至。

浙江省民政厅厅长 吕苾筹
浙江省财政厅厅长 王澄莹
中华民国廿三年十月廿七日发出
杭字第贰陆零柒号"

该档案明确说明了蒋家至迟 1934 年已购得胡雪岩故居。另外从杭州市房管局档案中发现，中华民国三十七年（1948年）杭州市政府发给宪纳地介税证写明："业主蒋彦均，宅土地面积陆亩贰分肆厘陆毫。"

1952 年杭州市房地所有权证存根：

"地积：宅地陆亩贰分肆厘陆毫；

坐落：元宝街 13 号平房七间，

楼屋十四间，高度一至二层。

所有权人：蒋俊吾（注：蒋俊吾为蒋彦均之子）"

1952 年杭州市房地所有权证存根：

"地藉：一都一图第二六五之—— 一号

地积：宅地肆亩叁分伍厘柒毫

坐落：牛羊司巷 37 号

建筑种类：空斗砖墙房屋

间数面积：楼屋廿六间，平房十间

高度二层

一九五二年九月廿八日

所有权人：蒋铁八"

从上述档案看，胡雪岩故居从蒋家购得到分家，分别为蒋俊吾所有六亩贰分肆厘陆毫，蒋铁八所有肆亩叁分伍厘柒毫，合计面积为 10.603 亩，与胡雪岩故居总面积吻合。

由于蒋俊吾一家住在上海，分得的房产主要是芝园、正厅和东、西四面厅，50 年代初他租让给浙江省财政干校。1958 年后蒋俊吾及蒋铁八的大部分房屋均出租给杭州青年中学。不久人民政府公告杭州市私有出租房屋进行社会主义改造，这样蒋家就仅存原楠木厅遗址及小厨房约300余平方米面积，其余均归国家所有。

1959 年后，杭州青年中学搬迁出胡雪岩故居。60 年代胡雪岩故居由市文化局接管，最早作为杭州艺术专科学校，以后又先后作过杭州市话剧团、曲艺团、歌舞团等单位的团部。70 年代初，有关部门把轿厅、正厅和芝园包括正厅与东、西四面厅的位置让给杭州刃具厂。由于上述工厂、团体 70～90 年代相继搬迁，原有的团部及厂房、办公用房均作了这些单位的家属宿舍，芝园又一次的遭受到严重破坏。此时故居内总居民达 135 户，其中不包括蒋家（3 户）私产。1999 年 6 月开始搬迁，耗资 2300 万元人民币。

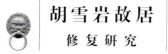

第二节 修复前的状况
Section 2 The Condition before Restoration

图37 拆除五层楼后

图36 原五层楼房

图38 故居内修复前状况

图39 芝园原貌

　　126年来，胡雪岩故居四周的外围墙除了元宝街与牛羊司巷东南角有所变动外（七八十年代有关部门在现颐夏院位置建了一幢钢筋混凝土五层楼房，拆掉了拐角的围墙），故居的原有墙体基本保存（图36、37）。故居始建时仅有元宝街上的正门及牛羊司巷的后便门两个出入口，至维修前，已有6个墙门。从中轴线看，50年代初，当时的浙江省财政干校为了扩大空间使学生能上体育课，把照厅与正厅相连的部分廊子、正厅、东西两四面厅及正厅后花园内假山、东长廊均拆除，60～70年代尚存的西侧石阳台，此后也被原杭州刃具厂拆毁，然后在中轴线上轿厅与前天井的位置建造了一座大厂房。原有的后花园，成了该厂的办公楼、传达室等厂内用房。

　　胡府东部，也就是居住的主要区域的楠木厅及鸳鸯厅应在30年代就被拆毁。50年代后，又相继破坏了花厅一、花厅二、大厨房，并填平所有的水池等，园林景象破坏殆尽。拆除后的空间"文化大革命"后建了楼房等。由于长期失修、乱拆、乱搭现象十分严重（图38），使尚存的建筑更加糟朽。因此维修前，整座故居面目全非，破败不堪。

　　胡府内最精华的园林——芝园，破坏得更为严重。芝园在60年代后期作为杭州话剧团时，除红木厅毁坏外，其余基本保存完整（图39）。70年代杭州刃具厂拆毁了大假山上的四照阁（这时东侧的影怜院已不复存在）、冷香院和水木湛华，打碎了扑凉台以及一些建筑的石雕栏杆和砖细，用这些破坏了的石构件等垫平了大水池，并建造了一座钢筋混凝土结构的厂房，同时拆毁了叠掇艺术水准很高的大假山的正立面和峰顶部分，山洞内的空间用块石与杂土填平，上面做了办公房、幼儿园和部分车间。芝园内的花厅四也作了该厂的厂房。

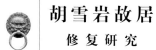
第三节 保护杭州历史文化遗产的使命

Section 3 Rescue of Heritage, Restoring the Dying to Life — Requirements for Preserving the History and Culture of Hangzhou

　　杭州是国务院颁布的"历史文化名城"之一。唐末至北宋初，吴越国王钱氏割据杭嘉湖一带，以杭州为都城。钱氏将"保境安民"作为国策，少动干戈，因此生产恢复很快，经济比较繁荣，人口明显增多，民宅建筑相应兴旺。南宋偏安东南，以杭州为行在所，"四方之民云集两浙、百倍于常"[16]。耐得翁《都城纪胜》说：杭州"有百万余家"。当时杭州究竟有多少人口，各家说法不一，但人口数字之巨，是完全可以想见的。人口激增，居民建筑必须大大增加，而那时并无高层民居建筑，除扩大地盘外，只能在原有的院落中见缝插针，因此房屋更加稠密。

　　作为二朝建都的杭州，经历了十几个朝代2200多年历史的变迁，积淀了极其丰富的历史文化遗存，理应留下一大批优秀的历史文物建筑，然而杭州现存的文物建筑，尤其是木结构建筑留存实在太少，与"中国七大古都之一"的身份不太相称。究其原因应是多方面的，其中，杭州历代火灾特别多，可能是主要原因。如南宋绍兴年间，几乎年年都有火灾，少则一次，多则三四次。南宋中期，延烧千户以上的火灾达11次，其中殃

及万户的4次。嘉泰元年（1201年）三月至四月大火，"燔御史台、司农寺、将作军器监、进奏文思御辇院、太史局、军头皇城司、法物库、御厨班直诸军垒及民居五万八千九十七家。城内外亘十余里，灼死之可知者五十有九人，而践死者不可计，都城九毁其七，时百官皆僦舟以居。"[17]元代杭州防火设施废弛，因此火灾更是屡有发生。据《元史》等记载，自1286年至1343年的57年中，不完全统计，发生火灾20余次。至正元年（1341年），燔15700余间。杭州碑林馆藏元代碑刻《武林记》记载：元代"至正二年四月一日，杭城大灾，毁民庐四万在畸，明年五月四日又灾……"。《元史》云："自昔罕见。"据明成化《杭州府志》载：成化十年（1474年）大火，从望仙桥河东蒋宅起，延烧"周环六七里，民居三千余家。"据《明史·五行志》载嘉靖三十五年（1556年）九月戊辰"杭州大火，延烧数千家。"同书又载：天启元年（1621年）"三月甲辰，杭州大火，延烧六千余家。"清代毛奇龄《杭州治火议》说："杭州多火灾，岁必数发，发必延数里，且有蹈火死者。予僦杭之前一年，相传自盐桥至羊市，纵横十余里，其为家纹六万有余、死者若干人。予虽未新风了，顾焦烂犹在目也。乃不数年，而自孩子巷至菜市东街，与前略相等，予所僦杭住房，已亲见入烟焰之中。其他则时发时熄，不可胜计。"据统计，1929年发生火灾137次，焚毁房屋1858间[18]。1947年共发生火灾152起，烧毁房屋735间[19]。近千年来，杭州的火灾为什么有那么的多，明代田汝成《西湖游览志余》卷二十五载："杭州多火，宋时已然。其一，居民周密，灶突连绵。其二，板壁居多，砖垣特少。其三，奉佛太盛，家作佛堂，彻夜烧灯，幡幢飘引。其四，夜饮无禁，童婢酣倦，烛烬乱抛。其五，妇女娇惰，篝笼失检。"

　　除了火灾外，由于杭州地层潮湿，白蚁众多，

木构房屋难以持久。加之现在城市建设的需要，历史建筑更是难保。

80年代初，杭州被国务院公布为第一批历史文化名城时，虽已没有留存太多的古代建筑，而是清代建筑居多，但城市坊巷的建筑平面仍是南宋时期的布局。杭州老城的基础与规模还基本存在。以后的这些年随着杭州经济的高速发展，城市建设的大规模展开，杭州几乎已然成为一个崭新的现代化城市。在此时期，笔者作为一名文物工作者，曾多次向有关方面反映，希望杭州市能尽力保护一批清代至民国初年的传统建筑，尤其是杭州下城区域内的窑瓶巷、汤团弄、助圣庙前、小庙巷、张御使巷、威乙巷和长道弄等能代表那个时期杭州的传统建筑。遗憾的是，这些建议并没有引起足够的重视。近10年的"旧城改造"保守地说已经毁去了90%以上的杭州传统街区风貌，大批历史建筑也随之消失。为此，保护历史风貌、抢救文物建筑的呼声日益高涨。杭州至今保留下来被列为文物保护单位的木结构建筑，明代的仅存一二座，清代也已不多。特别像胡雪岩故居这样工艺精湛、用材考究的建筑群更为少见。幸存的胡雪岩故居80年代后一直就被文物部门列为文物保护单位(点)。尽管经文物与消防部门多次检查，并采取了一些措施，而严重的火患还是存在的。多年来市人大、市政协曾多次要求对胡雪岩故居加强保护，1999年初杭州市常务副市长马时雍视察胡雪岩故居，看到故居内杂乱无章，有的建筑已岌岌可危的局面时，出于对保护文物建筑强烈的历史责任感，马市长断然决定当年搬迁，当年维修。1999年6月份资金到位后开始筹备拆迁工作，9月25日搬迁工作基本完毕。同时拨款维修故居，经过一年半的测绘、考古、设计和维修，2001年月1月20日故居正式对外开放。杭州的老百姓看到修复后的胡雪岩故居，欢欣鼓舞，无不自豪地说："我们杭州还有那么一个好地方，真是值得一来！"

当年许国英面对正在被拆毁的胡雪岩故居，在《记胡雪岩故宅》里写道：国民政府不重视文物，如果在西方，这样的建筑肯定不会被轻率毁坏，而是把它保护起来，供人民大众参观了。而今人民政府投入如此大的财力和人力对胡雪岩故居进行维修保护，这既是历史的要求，同时也是人民赋予的责任。

---

⑯ 李心传《建炎以来系年要录》卷一五八。

⑰ 《文献通考》卷二百九十八。

⑱ 《杭州经济调查》民国二十年版。

⑲ 《东南日报》民国三十七年一月七日第四版。

第四章 Chapter 4

故居修复的原则
On Restoration Principle

我们修复故居的一重要的原则就是要使修复工程达到再现其历史原貌的效果。古代建筑作为往日生活的载体应当显示出一定的社会历史生活的真实性。况且，胡雪岩故居的修复有着较为充足的历史资料和科学依据。因此我们应结合中国的国情。按照《中华人民共和国文物保护法》的要求，探索一条科学的、符合我国国情的文物维修道路。

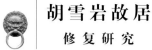
第一节 关于《威尼斯宪章》的古建维修原则

Section 1 About "Principle of Restoration" from Venice Charter

《威尼斯宪章》是1964年5月25～31日在意大利威尼斯召开的第二届历史古迹建筑师及技师国际会议中通过的《国际古迹保护与修复宪章》的简称。《宪章》第九条和第十二条说"修复过程是一个高度专业性的工作，其目的旨在保存和展示古迹的美学与历史价值，并以尊重原始材料和确凿文献为依据。一旦出现臆测，必须立即予以停止。此外，即使如此，任何不可避免的添加都必须与建筑的构成有所区别，并且必须要有现代标记，无论在任何情况下，修复之前及之后必须对古迹进行考古及历史研究。""缺失部分的修补必须与整体保持和谐，但同时须区别于原作，以使修复不歪曲其艺术或历史见证。"这两条原则即是文物修复中的"可识别"理论，它忽略了东、西方古代建筑的差异，而仅是以欧洲古代石构建筑的保护为对象。以中国为代表的东亚建筑文化体系，以土木混合结构为主导，不像以砖石材料为主导的西洋古典建筑那样即使有所损坏，不加修缮也能够比较长时间的作残损保存，土木结构的中国建筑必须不断地及时维修，否则很快便会毁坏无存。

近年来，主要根据上述《宪章》，有人认为当今维修文物建筑应全都采用"可识别"方法来处理。所谓"可识别"，具体来说就是指一处文物建

筑的维修完成后，对在维修中调换过的门窗、柱梁等构件要体现出维修过的迹象，以说明这不是原物。即这些新调换构件的色彩必须与其他原有构件的色彩不同，以便识别原件上的后加构件。实际上《威尼斯宪章》在通过后，有一个值得注意的问题，即欧洲大多已修复的文物建筑（包括卢浮宫内珍藏的伟大的艺术品），实际上并没有执行《威尼斯宪章》，或没有全部接受该《宪章》的条例。他们是采用文物建筑相同的材料，追求其固有的风格作"修旧如旧"的维修。当然，在这些国家，也有少数维修后的文物建筑存在"可识别"现象，但这只是对个别历史建筑、考古遗址和一些特殊的古迹作这类处理。所以，这种"可识别"维修文物建筑的做法，并未被国际上尤其是欧洲文明古国所普遍采用，而中国这一与欧洲古代建筑体系截然不同的土木结构建筑体系，又为何一定要完全遵照《威尼斯宪章》呢？笔者也认为，"可识别"的做法只是文物保护、修缮的一种手法，并不是一种准则，不能泛用。在国内，文物建筑维修采用这种"可识别"处理的情况也不多见，如近年维修的国家重点工程西藏拉萨布达拉宫等。对于文物维修中"可识别"或"留白"处理，笔者认为应客观地对待，在特殊情况下也可以使用它，如有些文物建筑其原有的部分历史信息已经损失，复原修复已没有依据。

在胡雪岩故居修复过程中，就有人提出要按《威尼斯宪章》对已毁部分不进行复原，保留遗址，对维修部分不油饰且要有明显"可识别"标记——作留白处理。甚至有人提出故居内保存尚为完好的芝园大水池遗迹不再修复，而将大池填土，改为西洋园林式的草坪。又说由于故居内建筑密度大，可选择性复原，把更多的遗址留下来给观众参观。这样一来整个故居格局会因为处处残缺而失去整体性，园林部分也会因为芝园中心大水池改为草坪而变得不伦不类，无法再现故居

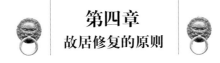
的历史面貌。而我们修复故居的一个重要的原则就是要使修复工程达到再现其历史原貌的效果。古代建筑作为往日生活的载体应当显示出一定的社会历史生活的真实性。况且，胡雪岩故居的修复有着较为充足的历史资料和科学依据。因此我们应结合中国的国情，按照《中华人民共和国文物保护法》的要求，探索一条科学的，符合我国国情的文物维修道路。

中国古建筑的保护维修需要有中国的特色，这是由于中国古建筑主要是以木构建造的客观事实所决定的，它与以花岗石为主体的欧洲古建筑是不同的。中国建筑的木柱、梁架、泥土墙、用砖作的空斗墙和砖铺地面都经不起雨水的长期侵蚀。因此，对文物建筑维修作留白处理的方法不可泛用，而要根据文物建筑自身的条件、功能等诸因素做不同的处理。一味地生搬硬套只会对文物维修造成负面影响。

笔者认为，《威尼斯宪章》是国际上一些民间组织提出的条例，它对保护文物起到了一定作用，但关于"可识别"的内容就不完全适合我们的国情。文物建筑的保护不仅仅是我们这一代人的事，只有在维修中保持它的原貌，才能真正地、确实地说明文物建筑建造时的历史情况和科学技术水平，才能保持文物建筑的美学价值。

第二节 土木混合结构文物建筑的保护原则
Section 2 Preservation Principles of Historic Buildings with Brick-and-Wood Structure

中国古代建筑形式多样、风格迥异，木材是中国建筑自古以来所采用的主要材料，土木混合结构的建筑体系是中国古代建筑的主流。

一、形制的永续

中国的土木混合结构建筑，由于其材质的特殊性（木材本身易朽、易燃），保存下来的古代建筑往往不如砖石结构的建筑久远，再加之历史的变迁使大量的木构古建毁于兵燹、火灾。保留下来的木构古代建筑，对我们来说，更显得弥足珍贵。

作为全人类所共享的物质文化财富，中国古代建筑保存着鲜明的民族性和区域性。所以，在古建修复中，尊重历史就显得尤为重要。而中国的历史建筑，由于木构体系易毁的特点，原物整体永久保存几乎不可能，所以保护建筑形制，使其能够永久延续，才是文物保护的最终目的，也是文物修复工作者的历史使命。

在全球经济一体化的今天，保存民族文化的历史特征，向人类展示古建的历史原貌，使历史的信息得以永久的延续，使人类社会做到可持续

图40　埃及沙漠中已风化成沙堆的金字塔

发展，应当是我们面临着的一个重要的课题。

二、同样材料的补足与工艺的保存

　　古代中国，由于交通、运输和经济等多方面的原因，各地建筑的营造往往就地取材。又由于建筑材料不同，所采用的加工工具、加工手法和工艺流程也不同，加之各地域又有着不同的民族特征、文化背景和风俗习惯，使其建筑具有了鲜明的地域特征。因此，在对历史建筑维修时，首先要尊重这些地域特征。维修中修补的材料应与原有的用材保持一致，而不要任意的更改。在现代科技高速发展的今天，大量现代工具和新工艺被越来越广泛地运用到建筑行业中来，一些机械工具取代了手工作业，而在文物建筑的维修中，许多老工艺、老做法，是无法用现代机械来取代的，或者说其工艺效果是现代机械所无法达到的。所以，笔者认为越是在自动化、机械化的今天，对传统手工工艺的保存就越显得重要。在中国的文物建筑保护中，对地方传统工艺的保护，也就是对地域历史文化的继承。

三、有足够依据的科学复原
——必要的"原状复原"

　　我们应该认识到为后代保护古迹这一责任的重要性，要将它们真实地、完整地传下去，必须不断地及时地维修。笔者曾有幸到过埃及，那里有世界著名的金字塔。埃及原有金字塔多达99座，但经过了几千年，保存完整的已不多，这些金字塔的地面部分大多都已变成沙丘（图40）。如果再没有有效的保护措施，那么仅存的几座金字塔，也必将在沙漠强烈的紫外线烤炙下，风化殆尽，后人将再也无法见到地面上金字塔原本的形体了。如何延续这些历史信息，使我们的后人较为真实地了解几百年、几千年前的古迹，正是我们文物工作的重要使命，为此我们必须制订一种最科学、最完整的保护方案。日本对神社等木构古建筑有定期重建的制度，这样才使一些上千年的宝贵古建筑的形制及工艺得以原封不变地保存至今。这种行之有效的持续保存古建筑信息的做法，被称作"原状复原"。

我国也有很多按原状复原的实例，北京天安门城楼就是在70年代落架后按原样重新修建的，它是原物的足尺大模型，是一件文物复原建筑。北京白塔寺山门也是原状复原的实例(图41)。在国外，日本前几年在平城京遗址原位置上复原修建了千年前的皇宫大门——朱雀门，又建起了宫廷前殿——大极殿。前不久德国复原建起了柏林墙查里哨所，这些都是原状复原的成功例证。复原者通过一系列调查、考证，掌握了充足的复建资料，经过科学地分析、判断后，用相同材料、相同工艺对原物进行有依据的复建，再现了历史面貌，使历史信息得以延续，这不能与近年来不断出现的一些粗制滥造的仿古建筑等同视之。正如罗哲文先生所说"这些有科学依据，经过认真评审和依法批准复原重修的重要古建筑，不仅再现了昔日的辉煌，而更重要的是使这些历史上的建筑结构能够长留人间，以它完整的形象展现其历史的风采。因此，像这些有依据复原重修的古建筑，绝不应以假古董视之、斥之。"

图41　北京白塔寺山门

第五章 Chapter 5
故居现存原建筑的维修

Restoration of Existing Architecture in the Former Residence of Hu Xueyan

维修前胡雪岩故居基本完整的建筑只是原有建筑的50%左右。这些留存的建筑在建筑风格、建筑用材、建筑装修和雕刻工艺等方面为我们修复和复原建筑提供了宝贵的依据。

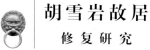

第一节 维修的指导思想
Section 1 Guideline of the Restoration

胡雪岩故居现为市级文物保护单位，在维修工作中我们严格遵守《中华人民共和国文物保护法》第二章第十四条的规定，即："核定为文物保护单位的革命遗址、纪念建筑物、古建筑、古墓葬、石窟寺、石刻等（包括建筑物的附属物），在进行修缮、迁移的时候，必须遵守不改变文物原状的原则。"并根据文化部颁布的《纪念建筑、古建筑、石窟寺等修缮工程管理办法》等有关法律、法规进行修复。

根据以上法律、法规，我们对胡雪岩故居的维修十分慎重，仔细了解了国内古建的维修情况及国际上对文物建筑维修的原则、动态以及实际操作情况，又研究了我国文物建筑传统的维修方法和原则，并把这些运用到胡雪岩故居维修、复原计划中。这一计划主要的目的就是科学地有依据地维修和复原胡雪岩故居的本来面貌。胡雪岩故居在修复前还大体保存有9组建筑，因此，我们确定对现存较好的结构加以保护，对后期添加、改动或糟朽部分进行修复，力求达到胡雪岩故居初建时的历史原状。

一、调查

为了科学地做好维修工作，我们格外注意调查和考证那些遗失、改动和糟朽的结构。一方面我们邀请胡雪岩故居的原住户座谈回忆故居原状，一方面广泛征集历史照片，在此基础上科学考证，以求正确修复现存残迹、残物。对局部已改动、补配的构件，我们要求进行仔细地辨认分析，有些可参照对称或相邻、相近位置构件的，只要符合卯口关系，相互吻合的就予以复原。故居内现留存不多原铜构件，而且不少构件上还留有各种形式的痕迹，我们遂请知情者回忆，到同时期建造的胡庆余堂勘察类同实物。对胡雪岩故居中地下清理出来的任何木构、石构和砖细等建筑构件，要求全部保存并仔细核查、确认构件位置，作复原使用。同时决定修复工作以1920年沈理源的测绘图为标准，对沈图有疑问处，再进行研究。

二、坚持原材料、原尺寸、原工艺原则

为了科学地维修好故居，必须掌握好使用"原材料"的准则。为此，我们要求所有维修建筑都要使用原材料、原工艺，严格按原尺寸复制，少数无法采购到的保护树种，用同科目相近的木材替代。因此我们对故居内存余的几幢建筑分别取样，请浙江省林业厅有关部门的专家检测，省内解决不了的再拿去北京验证。从检测样品的结果看，故居用材主要有：中国榉、南洋杉、紫檀、酸枝、花梨、波罗格等木材。对维修完工的故居原建筑我们要求依据126年前采用的中国广漆（杭州地区称"生漆"）进行漆饰（油漆取样来自故居内还基本完好的灯笼挂钩上与木构相贴的铜垫片内的油漆。此处基本完好地保留着126年前的颜色，甚至光亮鲜艳），对整座建筑不留白，不作现代标记，但作详细档案记录。不采纳带有"欧洲中心论"色彩的《威尼斯宪章》所说的"维修中凡更换的构件均须做现代标记"的规定。

杭州市政府常务副市长马时雍同志对复原计划表示了赞同，并在财政上作了安排，这是维修工作的关键。接下来我们要做的就是工程的组织

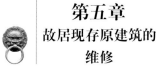

工作和寻找掌握传统技艺的人才了。

古代的建筑业有明确的专业分工。据清代《工部工程做法则例》记载，建筑施工有大木作、装修作（门窗、隔扇、小木作）、画作（彩画作）及裱糊作等11个专业。其中大木作为诸作之首，在房屋营建中占据主导地位。更为细致的专业分工还有雕銮匠（木雕花活）、菱花匠（门窗隔扇雕作菱花心）、锯匠（解锯大木）、锭铰匠（铜铁活安装）、砍凿匠（砍砖、凿花匠）、镞花匠（裱糊作、墙面贴络、顶棚上镞花盆角、中心团花）、夯锅夫（土作夯筑、下地丁、打桩）和窑匠（琉璃窑匠主要配合故居内装修及琉璃栏杆的制作）等工种。因各地的建筑队伍各有一套传统的施工手法，差别十分明显。如传统建筑施工江南有徽州帮、苏州帮，北方有北京帮、山西帮，搭造假山还有杭州帮、苏州帮等。又由于近几十年来现代材料的运用与建筑的迅速发展，掌握和学习传统工艺的人越来越少。所有这些因素给今天的胡宅维修带来了一定的困难。为了保证施工质量，在挑选施工人员时，我们从浙江、江苏、安徽、江西等地每个工种请来十几班人员，当场操作，当场评比，坚持谁有技术谁来施工的原则。虽然当前工匠的技术水准已比不上清代以前，但最终我们还是确定了500余人进行整个工程的施工，通过这样的招标和选择，我们确信已能挑起维修胡雪岩故居的重任。

第二节 现存原建筑的维修
Section 2 Maintenance of Existing Parts of the Original Architecture

维修前胡雪岩故居基本完整的建筑只是原有建筑的50%左右。这些建筑是：门楼、轿厅、照厅、新七间、老七间、下房、破房、小厨房、花厅四共9组建筑。这些留存的建筑在建筑风格、建筑用材、建筑装修和雕刻工艺等方面为我们修复和复原建筑提供了宝贵的依据。

一、大门及门楼

故居大门是用严州青石凿造而成的高大的石库墙门(图42)。墙门两侧门框上各安有上下两道铁制抱箍，在抱箍靠街方位有圆形铁圈。铁圈实际代作梗臼，原是安装木板矮门用的。这种门主要是供住户在夏天或春秋季节，打开大门时挡住门前行人的视线，既保证了住宅的私秘性，又不防碍通风。这种大门形式，50年代以前，在杭州还经常能够见到，可以说是杭州传统的建筑形式，是一种地方风俗。

故居石库门保存十分完好，在石库门的正中上方刻凿聚宝盆，二扇黑漆大门，高2.8米、宽1.6米，全用酸枝木做成的两扇木门扉126年来仅右门右下方有朽损，这次采用同样材料修补完整。

故居大门不设在中轴线位置上，这在明、清

以来老杭州城里十分常见，如明代的岳官巷吴宅（现为市级文物保护单位）大门就不开在正主轴线上，而是设在主轴线东侧。进石库大门是个狭小的严州青石板铺装的天井。进来为二层楼轿厅，出轿厅又有青石砌筑的天井。在正中作砖细倒座，两侧分别可通主轴线上的"守敦堂"；左侧进东轴线上的载德堂。另外，杭州下城区柳营巷35号原是座清代中晚期的建筑高宅，遗憾地是在80年代末被拆，现该地为柳营3号的七层楼房。原来高宅坐西朝东，早期有三条轴线，主轴线上由轿厅、正厅（原有匾额上书"世家堂"）及后厅组成。三进后面的西侧还有竹园和小池。主轴线前不设大门而作高墙，石库大门也是开设在主轴线的左（北）侧。进大门内所设门楼（单层人字坡顶）左（南）旋是条天井过道。过道约长8米余。再进入一石库门就是主轴线"轿井"前天井。上述两处杭州老房子的大门，均不开设在主轴线上，与胡雪岩故居的大门不开设在主轴线上的形式相同，而是设在主轴线的左侧。

故居门楼是一座形式较为特别的建筑，这可能与其使用功能有关。

故居门楼全部采用银杏木建造，是一座形式较为特别的建筑，这可能与其使用功能有关（图43:1-3）。从整体来讲，门楼进门为一层，东侧又有一间二层楼房。东西两侧墙壁上的砖细立体几何图案，在维修前只有西侧墙残留少许，东侧墙则剥落无存。门楼上采用大轩棚顶，在轩椽上覆盖望砖。卷棚内为草架，采用斜梁结构。两榀斜梁落在门楼内东西两墙上方，把整个门楼屋面支托住。门楼轩棚较高，保持了门楼的空间高度。而卷棚的提高却出现了卷棚中心位置最高点与后檐柱基本水平，使得棚上草架大梁无法水平搁置在后檐柱上，只能采取斜上搁置的办法。斜梁最高点正好与其上对称的三架梁相交，固定斜梁正中位，恰好又是与另端三架梁童柱下相交。这种

斜梁式结构操作方便，起到了节约用材、增大空间的效果。这种设计，确实既简便又合理。轩棚顶上作斜梁的做法，在江浙建筑上使用十分普遍。

东侧的二层楼房，前梁架保存基本完好，人字坡屋面前檐用飞椽，后檐无飞椽。屋面局部塌陷，瓦垄破损严重。由于长年漏雨失修，使像银杏木这样不易糟朽的材料也出现了霉烂的现象，如前后檐檩、望板、椽子和飞子等。门楼木构架已整体向南倾斜10厘米左右，楼梯、楼板严重变形，门窗、隔断板、卷棚月亮弯轩椽、轩檩都有不同程度的缺失。上述残缺部分，我们都依据类似的现存结构进行了维修。门楼前檐西转角柱下部1.2米霉烂处也同样按原构做了修复。

梁架校正 选用洋棕绳把每榀梁架上的3根柱子在上部连接好（预防校正榫头脱开），再用钢丝绳一头固定在中柱的上部，一头接上手拉葫芦（手动滑车组）固定在北距门楼20米处的硬桩上，然后拉紧钢丝绳至梁架到位后再换柱中销固定梁架。

接柱方法 将柱下部0.7米以上霉烂处锯掉，采用硬木波罗格材料做接柱。接柱高1.2米，接口呈40度斜面，这样柱体不易移动，便于与檐柱同样接口相连接，而后采用环氧树脂粘接固定。

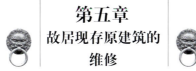

图42　故居石库大门

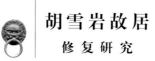

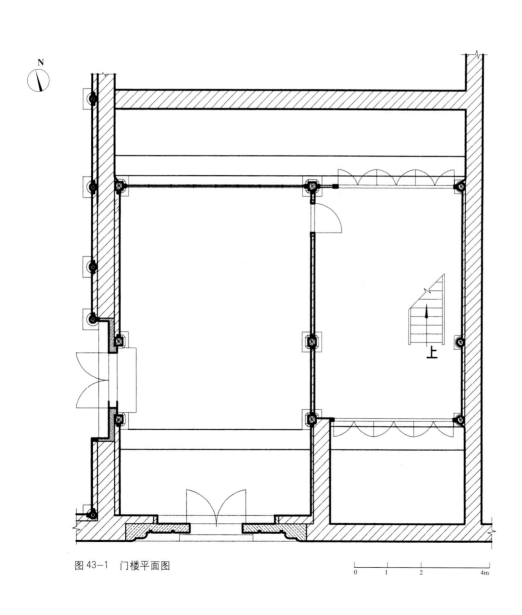

图 43-1　门楼平面图

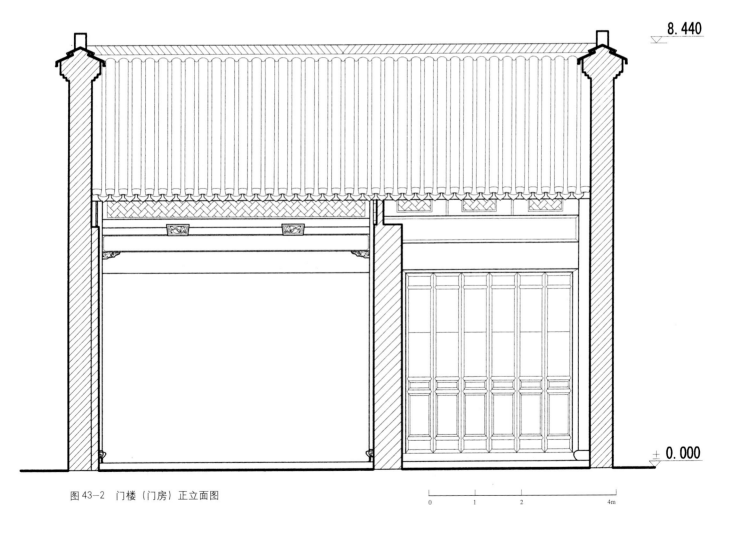

图 43-2 门楼（门房）正立面图

8.440

± 0.000

0   1   2   4m

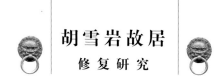

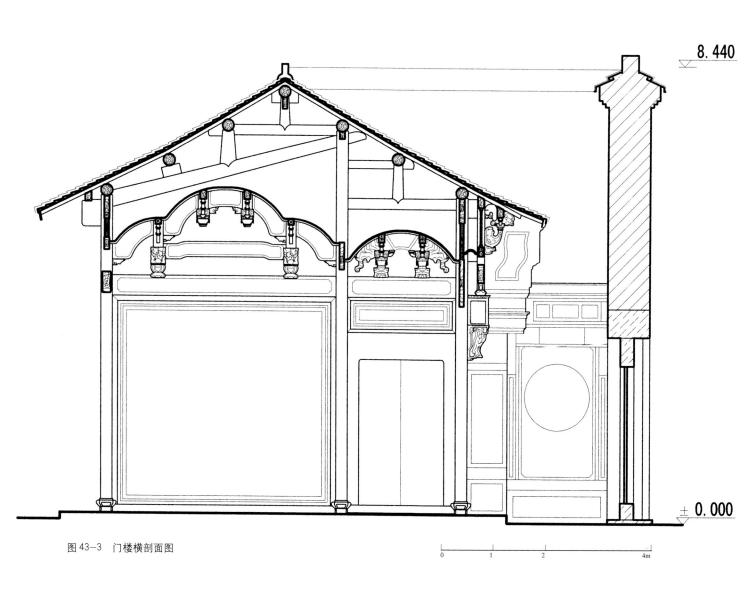

8.440

± 0.000

图43-3 门楼横剖面图

0 1 2 4m

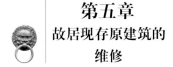

二、轿厅

轿厅面阔五间,通宽17.82米,通进深10.97米。明间宽4.22米,次间宽4米,稍间宽2.55米(图44:1-4)。轿厅全部采用银杏木材建造,共用柱26根,其前檐柱6根为方形,四转角采用木角线形式,其余均为圆形。梁架采用五架梁,前后作轩廊,轩顶用望砖。五架梁的外形为长方形式,上刻人物花卉。梁架上置荷叶橔承置月梁。明、次间每榀梁架在荷叶橔的左右两侧出栱两翘,上托上金枋。两侧山墙采用山柱作抬穿式。整个屋面在椽子上方全部用望砖,两侧山墙均作方形砖细墙。轿厅各部位额枋、牛腿均雕刻人物、花草等图案。轿厅前天井的东西厢房地面铺大石板,单披屋面下置船蓬轩,正立面额枋上满雕人物故事,东侧横披花格为卍字形(葵式万川),西厢房横披花格为菱形。西厢房隔扇中间留有长方形窗孔,内有用酸枝木做成的极精细的边框。在维修前的考察中,我们在该厢房的北侧发现两块故居初建时的玻璃,一块为绿色,另一块为红色(图45),于是在边框内我们配置了红、绿玻璃(图46)。

维修前,轿厅的五架梁、月梁、串枋、檩条和立柱雀替等构件基本保留,主体建筑基本完整。但轿厅有两种破损情况:一种是长期漏雨,不少地方的构件有霉烂现象。另一种是由于作过工厂车间,很多地方做了改动或拆除,如把两个天井、轿厅和照厅都搭成披棚连接在一起,许多墙面、地面、木雕和门窗都遭到了破坏等,所以修复较为复杂。

轿厅前照壁墙上和左右山墙多处砖细被打碎,开辟了门窗。原地面已被改为厚约30厘米的混凝土地面。个别地方为了安放机器,做了大片高强度钢筋混凝土基座。梁架上有的穿枋局部破损霉烂,前廊缺失雀替6组,前后檐口牛腿缺失及严重糟朽处有7组。山墙檐柱及枋子因潮湿腐烂严重,后檐东北角转角处已倒塌,后檐明间和左右二次间的檐柱均改用砖石柱子代替,其上的额枋也代之以钢梁。前檐的檩条、枋子、檐椽和飞椽等都已被大小不一的材料调换,西北角柱沉降3~8厘米不等。

修复墙面时,因还有破碎的砖细,形状明确,我们均按其形状定制复原。其他望砖各部构件以及雀替后檐柱,由于都有对称或残破的构件存在,也都依据复原。在轿厅后檐,我们还发现了不少初建时做屋面落水管道用的铜隔漏(图47)。

修复轿厅下沉柱子,我们根据轿厅体量大的情况,施工时首先卸下屋面所有瓦片,减轻整体重量。再用两个5吨以上千斤顶,将两根直径16厘米左右的杉木放置千斤顶上,杉木上端顶着梁枋底部,将其放在升高柱子的两边(离开柱子0.4米左右),然后两个千斤顶同时加压升高。升高后调整礩板高度,水平复核,平整后就位。

从沈理源测绘的平面图上看,该厅西侧稍间老檐柱与后金柱间有隔扇和门窗,我们以为这是后人所为,这次修复中未作复原,因为在这样的富豪之家迎来送往的轿厅中,隔一小间,似乎有失身份,同时也破坏了轿厅的格局。另外在轿厅前檐柱上,明间不设门窗,而东西两次间与稍间设门窗,这种作法似乎是不合规则的。但究竟是明间门窗被后人拆毁,还是前檐柱上本来就没有门窗,还有待考证。

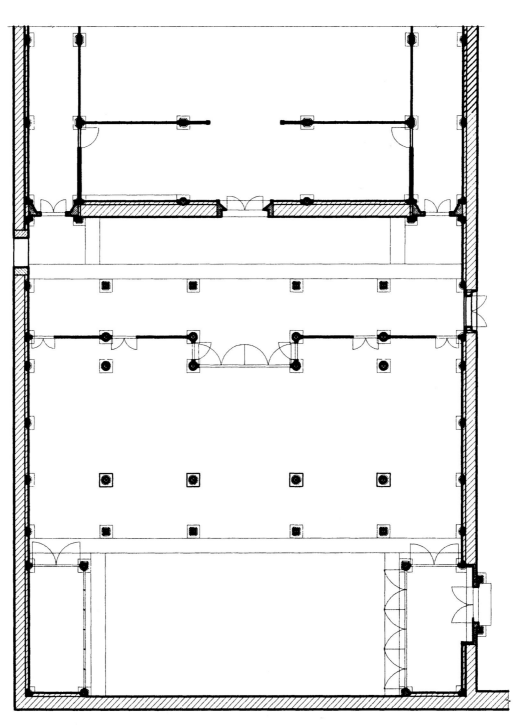

图44-1 轿厅、照厅平面图

第五章
故居现存原建筑的
维修

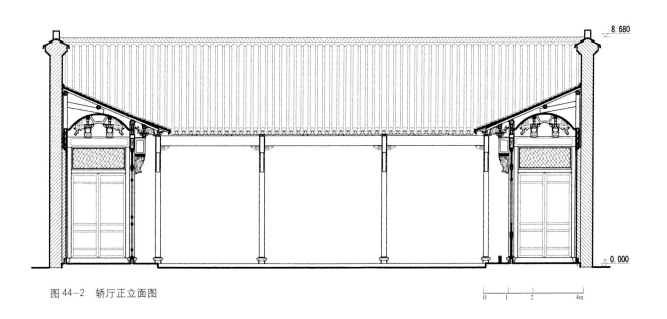

图 44-2　轿厅正立面图

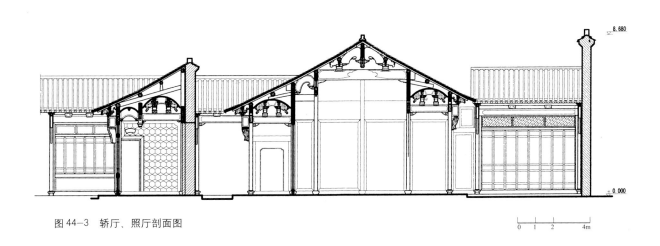

图 44-3　轿厅、照厅剖面图

8.680

± 0.000

0 1 2 4m

8.680

± 0.000

0 1 2 4m

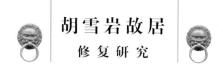
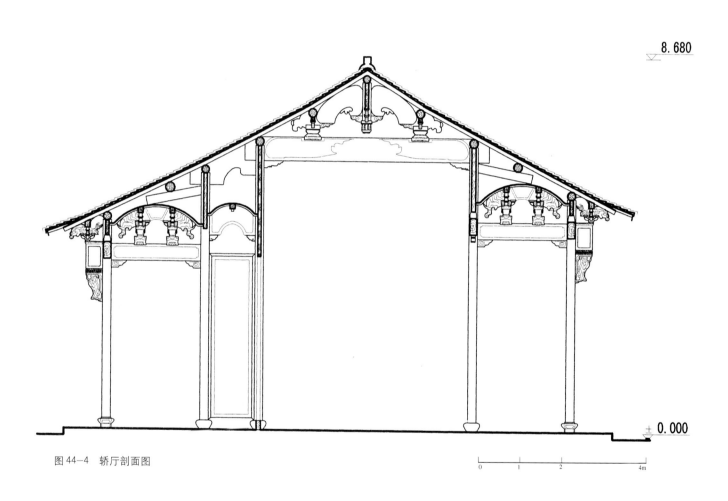

8.680

±0.000

图 44-4 轿厅剖面图

0 1 2 4m

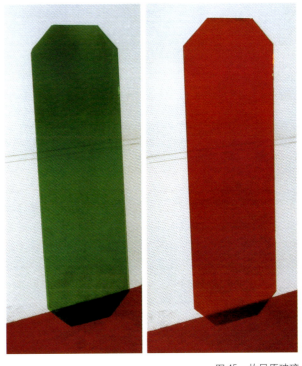

图 45　故居原玻璃

图 47　轿厅后檐铜隔漏

图46　轿厅西厢房上的玻璃

三、照厅

照厅与正厅相对，面阔五间，两稍间作廊，实际作三统间使用。通面宽15.17米，明间尤宽，达5.67米，次间宽4.75米，进深一间，为3.5米（图48:1-2）。照厅稍间作廊，与正厅前左右两廊相接，廊宽2.35米，照厅后檐柱为方形。前檐上部装横披，横披下除明间为落地长窗外，两次间装半窗和槛板墙。照厅为单披屋面，梁架作四架斜抬梁草架，四步斜梁分别搁置在檐柱及脊柱的上部，与屋面构成锐角形。其下为轩棚顶，该顶分内外两轩。内轩高于外轩，两轩之间作垂莲柱。内轩的双步梁下作雀替，梁上置柁墩，其上托轩梁。柁墩上作斗栱一翘，昂为象鼻形状。昂上作小斗与枫栱，梁上置船蓬三弯椽，上铺望砖。

照厅在70年代改为车间，是现存建筑残损、糟朽现象最为严重的建筑之一（图49）。其木构件经检查多有朽烂，内墙砖细毁坏严重，有的砖细完全不复存在。室内地面原为方砖墁地，被改为混凝土地坪，多处部位的柱、梁和额枋残损严重，有的甚至不能承重。前檐的横披窗基本完整，

但红、绿玻璃已不复存在，下部装修被改动。屋面破损严重，局部塌毁，檐口也有不少部位塌毁，并朽烂下垂。

根据照厅破损情况，我们在维修中尽可能保持原有材料、原有尺寸。由于原用材料银杏木的缺乏，现改用波罗格木。起初接受我们委托的设计者，依据照厅是披屋屋面，错误地把围墙墙脊作成了披屋屋脊（见图48-2）。经我们仔细观察发现，紧靠围墙三线叠涩下原为精细砖雕，至今还部分保存（图50），披屋高度不可能定位在围墙最高处，披屋面有屋脊的话，岂不覆盖了精美生动的砖雕。为此，照厅披屋修复时我们不设屋脊，不与左右两廊屋面连接在一起（见图48-1）。照厅前檐明、次间均设落地门窗，形式类同老七间，窗上端的横披，修复时嵌上了彩色玻璃。同时对众多糟朽木结构件都相应作了复制调换，而对于那些雕刻精细的额枋及串枋，我们没有轻意更换新料，有些表面未朽而内部蛀空的，或是表面也有糟朽而不十分严重的构件，我们采取镶包的方式修复。如30厘米高、15厘米厚的额枋，把两侧表面约3.5厘米厚的木雕锯下，然后用环氧

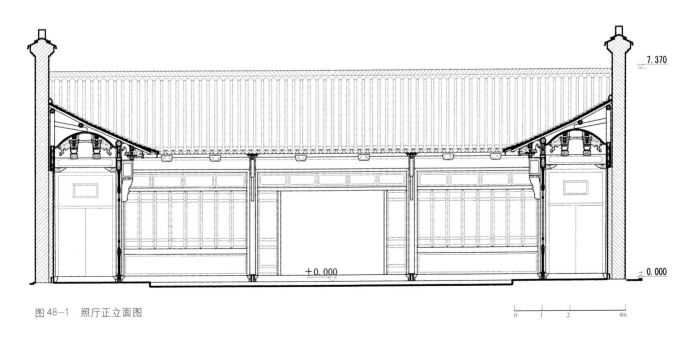

图48-1　照厅正立面图

7.370

+0.000

±0.000

0　1　2　　4m

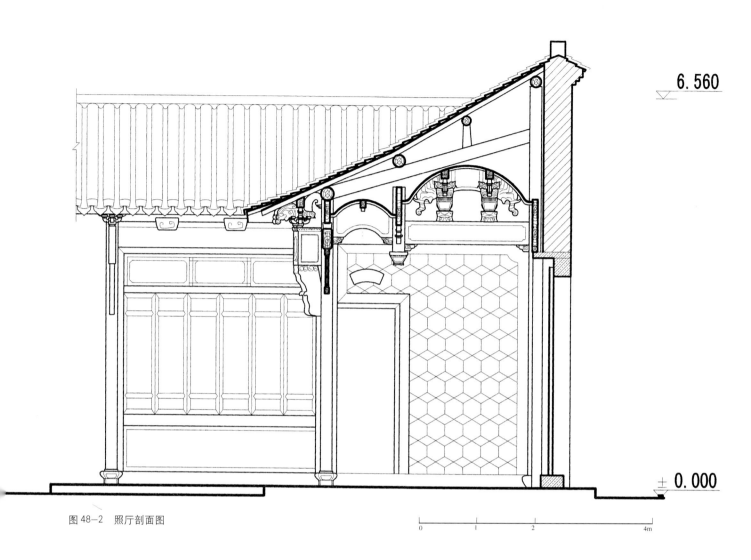

图 48-2 照厅剖面图

6.560

± 0.000

0   1   2   4m

树脂把它胶合到重新调换的额枋的表面，使原来的木雕艺术焕发了青春（图51）。这种修复方法即梁思成先生所提倡的"老当益壮"，而不是他所反对的"返老还童"。现在看这些调换拼合构件，效果十分理想。

与照厅相接的檐廊，当时工厂没有拆除，留存的一间长度为3.66米，一直在堆放杂物，尤其是西侧廊子。这段廊子从表面看好似厢房，廊前东面装有窗门与照厅前次间颇为相似，故有人称它为厢廊。其实不然，对照沈理源测绘图，在

该廊装窗位置上是二条线，此应代表靠背栏杆，并没有门窗的示意。因此我们对这所谓"厢廊"多次观察，发现廊的立柱上根本不设榫卯，仅有钉子，这些门窗是从别处拆卸下来临时安装在此廊上的（见图49），所以修复时，与照厅稍间相连接的檐廊我们未设门窗。

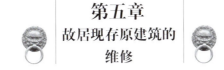

图49 修复前照厅与右侧的檐廊

图51 保留照厅额枋木雕面

图50 照厅围墙砖雕

四、老七间

老七间是胡宅中一处重要建筑（图52:1-5；见图22）。老七间面阔七间，明间宽4.23米，次间宽4.02米，稍间宽3.98米，尽间宽4.21米。老七间共二层，楼下的前檐明间（堂屋）是生活起居及会客的场所，楼上七间除当中一间外都为胡雪岩姨太太们住的地方。楼下两次间的立面作窗，窗下为槛墙，两稍间在槛窗的山墙处设两扇

落地门窗，它们均与明间左右相通。次间与稍间门套上在正反两面分别刻有砖细扇形匾额，题"停云"与"款春"，"消夏"与"处而泰"，"安之适"与"涵秋"，"耐冬"与"卧月"，并在两侧门框上雕刻精细的人物、花草。前檐廊尽头南北山墙上分别镶嵌精美的龙、凤砖雕。南侧双凤牡丹砖雕是"文化大革命"期间老百姓用泥灰封堵后保存下来的原物（图53），北侧的二龙戏珠砖雕当时已损毁。一楼的后檐有七小开间，与前檐房

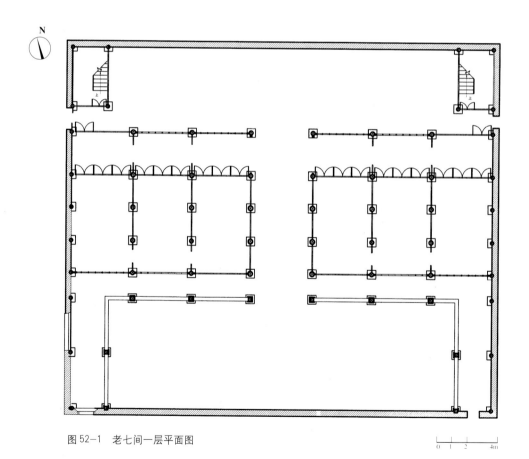

图52-1 老七间一层平面图

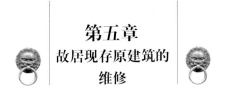

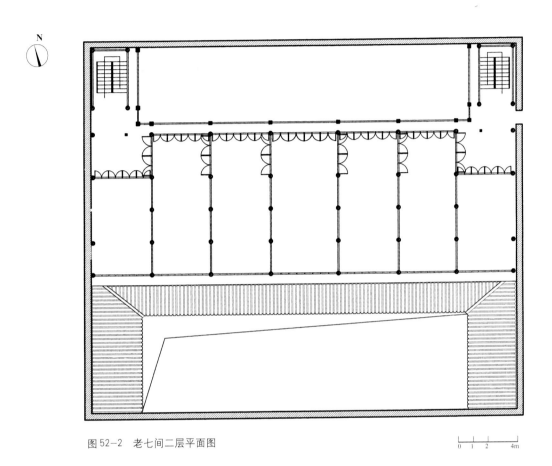

图 52-2　老七间二层平面图

0　1　2　　　4m

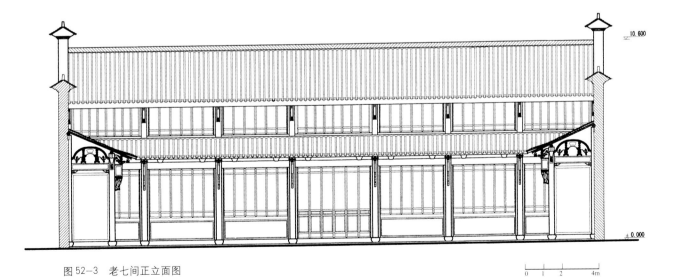

图 52-3　老七间正立面图

0　1　2　　　4m

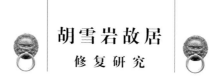

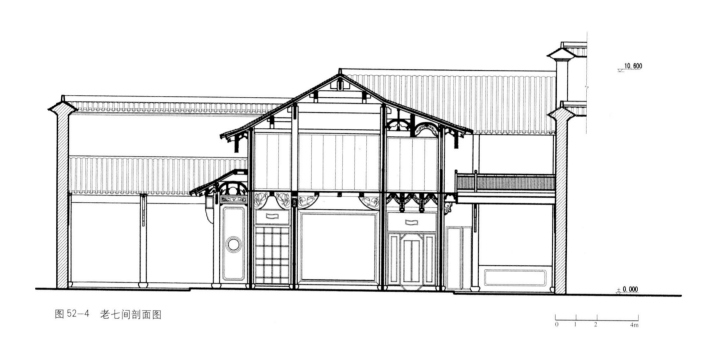

图 52-4　老七间剖面图

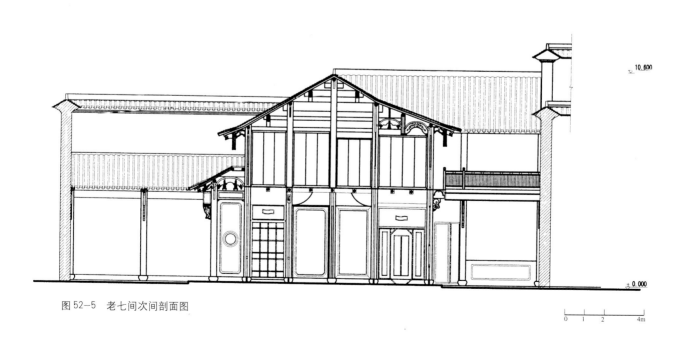

图 52-5　老七间次间剖面图

图 53　老七间双凤砖雕

间用板门相隔。明间两侧有紫檀木冰裂格纹隔扇（图 54）。次、稍间有砖雕门套（图 55），门套上端刻有与前檐形式相同的扇形匾额，内容为"借光"与"长乐"，"碧瘦"与"书府"，"墨林"与"挹秀"，"披华"与"映雪"。门套两侧的砖雕门刻画得十分精彩，并有"福星高照"、"平升"、"年年有余"、"封侯"和"平升三级"等内容。

出老七间后檐，两侧好似各有一厢房，内设楼梯，上楼即是宽敞的后檐廊（楼上前檐不设廊），楼上有较狭窄的阳台，阳台的围栏是罗马风格的木栏杆，有的木栏杆是用紫檀木做的，这是目前杭州留存最早的欧洲风格建筑构件之一。

栏杆上有宝瓶，有的宝瓶上还能分辨出曾经贴过金箔。

老七间修复前为居民住宅，除不少门窗被住户改动外，其他木结构也有较大的损坏。由于长期失修，许多构件糟朽严重。一楼明间、次间前后门窗均被拆改。一楼南面前后门窗基本保存完整，窗与门开启用的摇杆与梗臼还在。这批梗臼都用黄铜铸成，有大有小，大的一只净重达 5000克，表面阴刻蝴蝶形纹饰。这些窗构件的保存为修复工作提供了宝贵的实物。另外，有的门窗上还保存有少量的风钩、插销。故居内原有大批铜钩件（图 56），但大多被住户拆毁，个别住户在拆掉门窗后，将铜构件一直完好地保存到现在，真是难能可贵。

老七间次间原不设门，只能从明间和稍间出入，现一楼前后窗下大多槛风木及槛墙板被住户锯断改成门，便于独家独户出入使用。不少砖雕门也被沙灰或水泥封涂，尤其用水泥封涂的（图57），恢复原貌非常吃力，我们请浙江省建筑科学研究院有关化学研究单位的专家出具方案去掉水泥，但研究了几个月实在没有好的办法，最后我们靠双手和竹木工具一点点把这些水泥与砖雕剥离开来。

一楼的地砖保留好的不多，大多人家在其上铺设地板和水泥，使本来很考究的墁砖被破坏。从残破地砖看，安装十分讲究。其地砖下主要用黄沙衬平，每平方米黄沙下约置4个直径25厘米左右的陶钵，起防潮和稳定作用。在安装复制地砖时，我们按原样也每平方米放置了4个完整的陶钵。

二楼前后檐口轩棚椽处，垂花柱缺失严重，望板腐烂。椽子截面为方形，飞子为圆形。这些椽子大部分经过住户改动，用料规格不一。尤其是后檐廊上端的两道轩棚，两轩棚由柁橔之上的枋子各自用榫卯相接，而此枋向外檐严重倾斜，如不扶正，将导致其上高的一座轩棚榫卯脱离，有倒塌的危险。我们分析，这主要是上下两轩棚受力不均造成的偏离。因此，我们在其向内部位的上方作一拉杆，拉住替木，在二轩相交的枋子上端与内向的后金柱上端固定。这样的加固措施，我们在每开间梁枋上都加两根，规格8×6厘米，这样枋子不再向外倾斜，效果很好（图58）。

二楼后檐每间原设落地门窗，但

均已拆毁，仅存抱框上的卯口。我们根据这些遗迹，寻找散落在大院内的各类门窗，凡尺寸基本符合的都一一装试。功夫不负有心人，经多日搜寻，终于发现了尺寸大小、纹饰风格一致的该处门窗，使之恢复了原位。

老七间调换了大量的雀替、牛腿、檩条、门窗、串枋和椽子等，柱子调换了4根。在此介绍一下是如何托梁换柱的。

图55　老七间砖雕门套

图54　老七间的紫檀木冰裂格纹隔扇

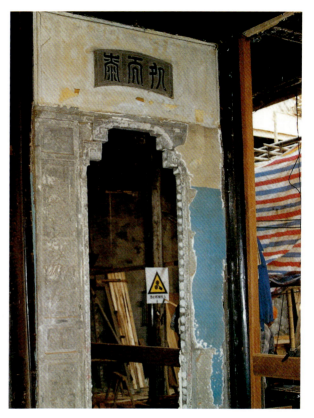

图57　被水泥或沙灰封住的砖雕门

图56　故居原有铜构件（摇梗和梗臼）

我们首先把需要换柱位置的屋面瓦片、望砖卸掉，以减轻屋面的重量。然后准备好千斤顶、木垫板、牮杆（两根高于柱高一半的杉木条，起临时杖杆的作用）、铁撬棒及新制的柱子等，并用钢管支撑好东西走向的串枋、檩条，把与窗扇、抱框和柱子有关联的枋子榫卯拆除，在柱子内侧，对梁端部位放好垫板，在垫板上把千斤顶放好，根据梁底与千斤顶的垂直距离支好牮杆。为了保证安全，在靠近千斤顶牮杆处，再加扶一根太平牮杆，使之不易移动，以保证千斤牮杆意外时，梁不至脱落，然后卸掉腐烂柱子中的柱中销。此时一人掌管牮杆，另一人转动千斤顶，平稳地将梁逐渐顶起，顶起的高度以原柱不承重为止，待千斤顶牮杆与太平牮杆均支撑牢稳，这时将腐烂柱子换下，安放好磉板、磉鼓，作好水平，把新的柱子换上。

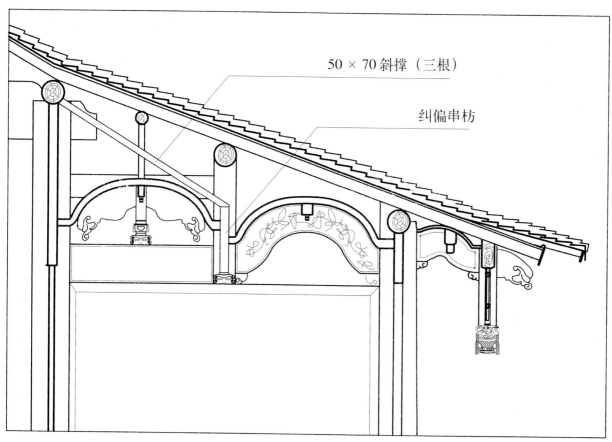

50×70斜撑（三根）

纠偏串枋

图58　老七间明间二楼串枋纠偏

　　老七间是故居留存原落地门窗最多的一处，这些门窗代表了胡宅建筑主要的门窗式样。落地窗在裙板、绦环板上，均有较为简易的阳刻花纹，纹饰属变化了的如意纹。门窗材料采用花梨木和中国榉木，隔扇材料全部采用紫檀木，隔扇之间用黄杨木雕刻蝙蝠，寓意"福星高照"。隔扇内嵌玻璃，正中为长方形蓝色玻璃。在隔扇窗内，雕刻有结子纹饰（图59、60），寓意"吉祥"，和"路路通结"的美意，这种吉祥结，明清时流传比较广泛，一些背包、家具、瓷碗、马鞍、衣服和金银器甚至建筑的砖石上都有这类纹饰（图61），而且流传地域也广，笔者在内蒙古、新疆、西藏

甚至远在土耳其都曾见到过这样的纹饰（图62）。

　　维修中，我们在二楼明间两侧的横披上发现了几块原配的印花玻璃，这成了我们维修复原所依据的不可多得的实物资料。

　　另外，老七间二楼南侧扶梯处，有一座不大的石库门，此门是通向楠木厅二楼北侧的便道（图63）。它的存在，为我们确定楠木厅二楼室内的地坪高度提供了依据。

图60 老七间窗上的吉祥结

图61 砖石上的吉祥结图案

图62 土耳其蓝色清真寺穹顶上的吉祥结图案

图59 老七间窗内吉祥结图案

图63 老七间二楼与楠木厅相通的石库门

图 66　新七间挂落

五、新七间

新七间总体保存尚好，门窗、挂落和楼梯扶手都有相应构件保存，为修复提供了实物资料。

新七间面阔七间，明间宽 4.45 米，次间宽 3.65 米，稍间宽 3.55 米（图 64:1-6）。一层带前檐廊，明间作落地长窗（图 65），其内室左右有门与次间、稍间相通。次间正立面不设门，只设窗，窗下作槛板墙。两侧尽间各设扶梯，靠山墙处立面作两扇落地长窗。后檐明间与前檐相同，为落地长窗，而次、稍各间为和合窗，原有的和合窗有的至今还保存完好。后檐还设有狭长的天井。二楼后檐设走道，前为房间，每间房内均设门相通。

七开间的梁架十分简单，不作任何雕刻。明、次、稍间梁架为抬梁式，用七架前四步后双步用

三柱，脊爪柱上作角背。柱出梁头，作兽面承托挑檐檩。前檐柱出弓形轩梁，上置轩檩、轩椽和望板，檩下的替木有雕刻，梁头雕有兽面纹。轩棚下每开间两侧均有垂莲柱，挑檐檩下置挂落，挂落基本采用葵式万川一类的式样（图 66）。山面梁架为穿斗、抬梁混合式，用七架前三步后单步，双步分心用四柱。除山面室内梁架加脊柱外，其余与明、次、稍间梁架相同。

新七间维修前，东侧稍间、尽间之间外转角檐柱全部已改为砖石水泥柱（图 67），原次间正立面不设门，住户均把中国榉木营造的窗槛锯断开门。因长期维修不力，檐椽、飞椽、地板、门窗、屋面和挂落等均糟朽和残缺严重，而且东面与鸳鸯厅相通的厢廊被拆除。在一楼明间东面还保存有两块当年胡雪岩从国外进口的六星玻璃（图 68）。

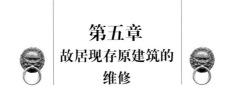
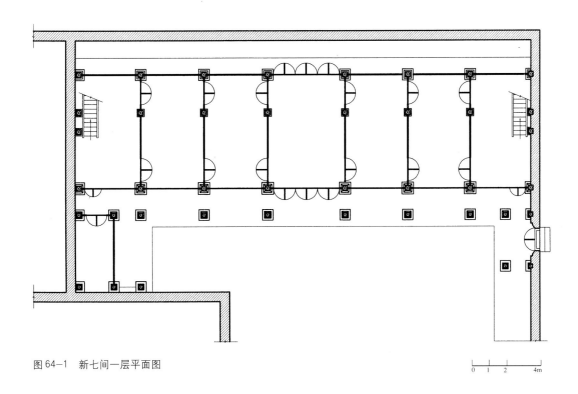

图64-1　新七间一层平面图

0　1　2　　4m

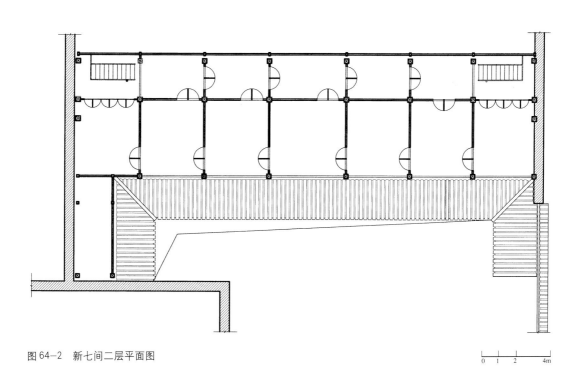

图64-2　新七间二层平面图

0　1　2　　4m

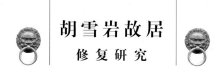
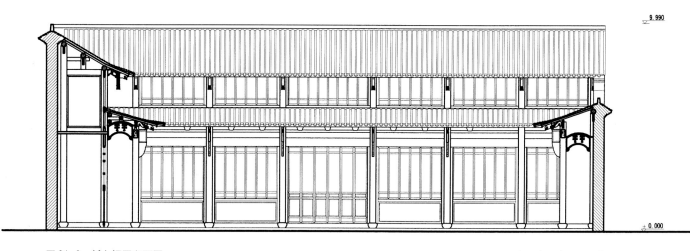

9.990

±0.000

图 64-3　新七间正立面图

0　1　2　　　4m

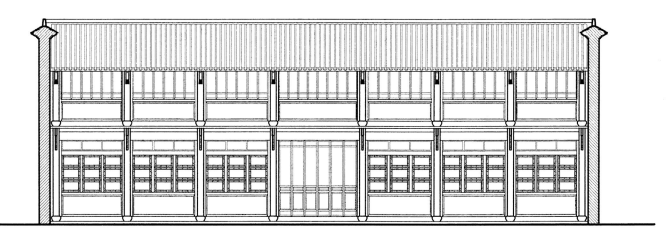

图 64-4　新七间背立面图

0　1　2　　　4m

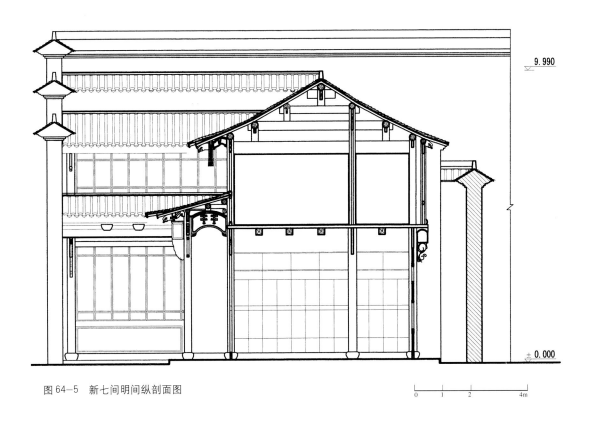

图64-5　新七间明间纵剖面图

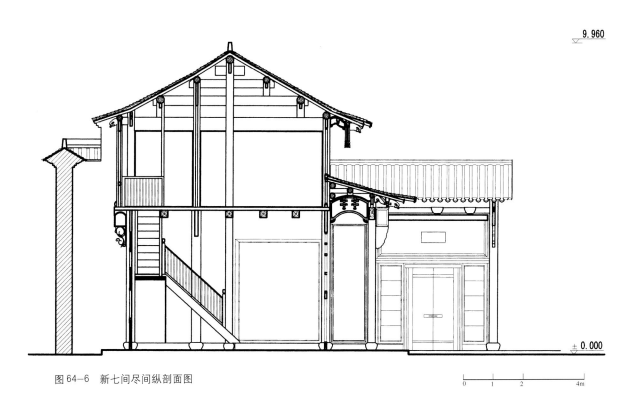

图64-6　新七间尽间纵剖面图

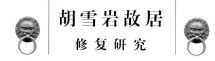

图 65　新七间落地长窗

六、花厅四

花厅四又称洗秋院，位于芝园西北角，二层楼屋，60年代后改为硬山顶，人字坡屋面，平面呈"L"形，由坐北朝南的主体建筑和坐西向东的厢房组合而成（图69、70:1-5）。楼前天井还保留了小块的鹅卵石地面遗迹，狭长的后天井已被搭建的披屋占用。主楼面阔三间，通宽9.95米，明间宽3.12米，次间宽2.77米，最西面楼梯间宽1.29米。进深二间，南间深4.4米，北间深2.21米，通进深6.61米。厢房同为二层，单披顶，面宽3.65米，进深1.29米。建筑外檐改动较大，原槛窗、隔扇和横披窗的装修已被板条粉墙和砖墙代替。檐下额枋高68厘米，厚20厘米，宽度惊人，竟达8.68米，额枋上满刻庭院景观和人物造型图案。原额枋下明间两檐柱被拆除，致使大跨度的额枋独立承受上部压力。一层主楼和厢房，前檐柱挑轩月梁，架轩桁和弓形轩椽、望砖，月梁前端作象头，挂垂莲柱。屋面渗漏严重，檐

图67　新七间东侧转角砖石檐柱

图68　新七间的故居原玻璃

图69　维修前的花厅四一角

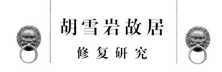

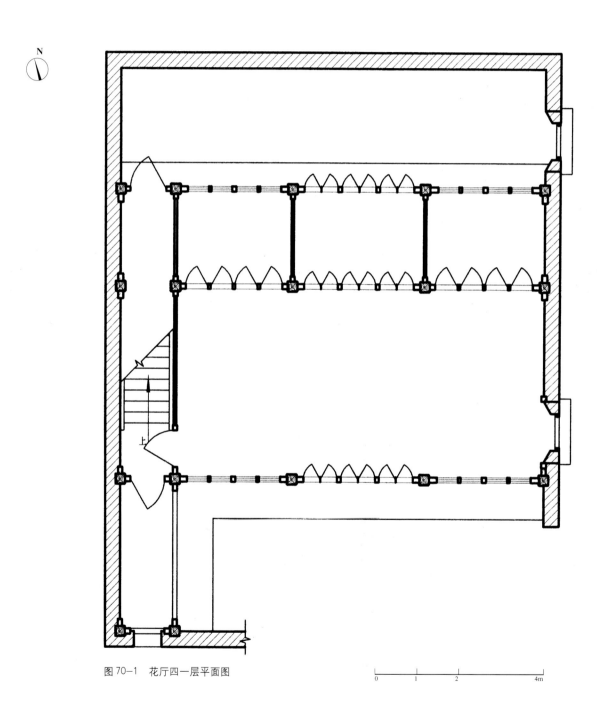

图 70-1 花厅四一层平面图

0   1   2   4m

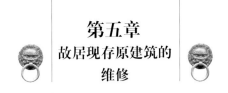

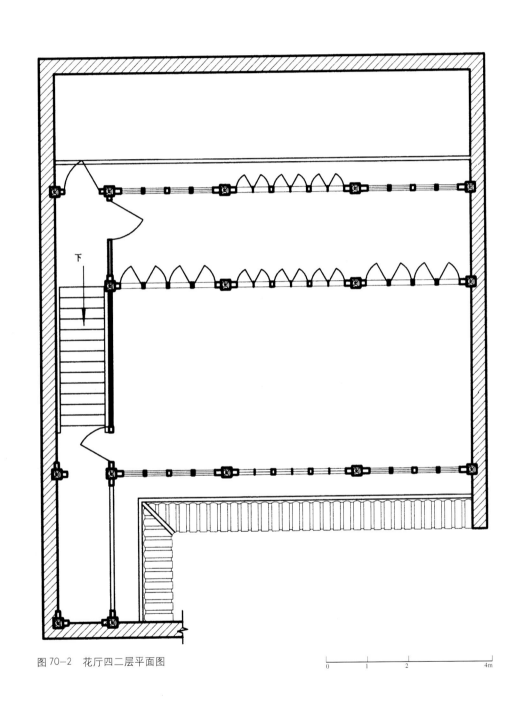

图 70-2　花厅四二层平面图

口塌陷、勾头、滴水残缺不全，檐下铜隔漏局部破损，椽子、望板和连檐糟朽严重，构件松动脱落，垂莲木头多已缺失。东山墙墀头上有精美的砖雕、石雕，其图案为"松、竹、鹿"，寓意富贵吉祥，但雕刻破损较多。一楼后檐出琴枋和牛腿作承重，上置弓形轩椽、望砖和楞木以承托二层阳台楼板。牛腿及雀替雕刻精美，用透雕手法将"鹤寿松林"、"松鹿同春"的图案塑造得栩栩如

生，表达了富贵长寿的美好心愿。阳台外又后加楼板，上盖屋面将后天井的空间归入室内，此处木构件也多朽烂。一楼室内曾作工厂车间，地面为混凝土浇筑，安装工业电炉一只。门窗隔断全无，楼梯尚存，踏步破损严重，楼梯间用砖墙分隔，靠前檐柱设门通楼梯，与门相对的东山墙开入角式石门洞。北间顶为船蓬轩，轩月梁挂两根垂莲柱，柱上挑一斗六升，栱头和斗底均雕成花

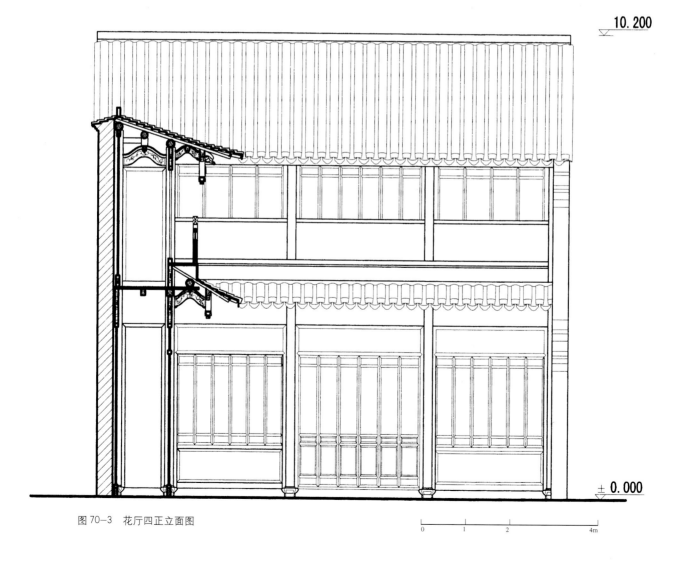

图 70-3　花厅四正立面图

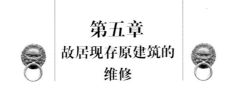
苞形,承托替木和轩桁。替木也作镂雕,桁上布船蓬三弯椽和望砖,此处的构件已松动和脱落。

二楼前后檐及厢房二层前檐做法都与一楼的檐下结构类似,只是增加一斗六升横栱和葵式万川挂落的装饰,破损情况也相同。二楼室内梁架为穿斗抬梁混合式。用七架三柱草架,作抬头满轩,后金柱落地为界,分前后两轩,前轩深四步,后轩为双步。轩棚结构与一楼相同,整个轩棚梁架用材粗大,其上雕刻图案以博古器物与花草为主,与故居其他建筑相比,雕刻显得更为精致。屋顶脊柱立轩顶,柱上部穿短梁固定脊柱。前金瓜柱立于轩顶正中,脊柱与前后金柱用单步梁穿连,前者檐桁直接搁在轩顶,后者檐瓜柱立于后轩顶,并与后金柱用单步梁穿连。厢房梁架为单披三架草架,置弓形轩,轩月梁架轩桁,布弓形椽和望砖。二楼楼道用单砖墙分隔,东山墙二楼

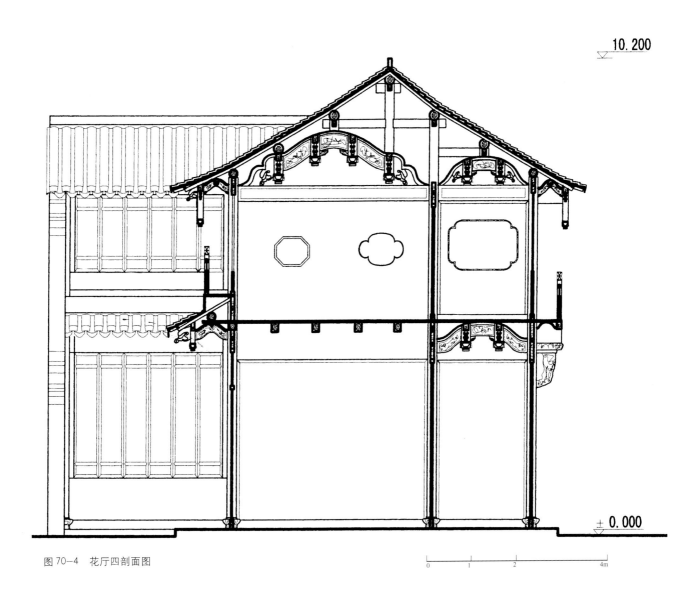

图70—4 花厅四剖面图

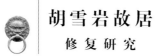

从南向北齐排八方式、海棠式、入角式三扇花窗（图71），均用上等花梨木制作窗框。尤其是靠南两扇基本保存完好，制作十分精致，这些花窗的原彩色玻璃都已不存在。

在花厅四的维修中，我们发现二楼檐口隔漏及落水管均是原故居遗物，并有三分之一保存完好。这些落水管全用黄铜制成，檐口接水隔漏的翻边内都衬有黄铜棒，其中一段印有一枚椭圆形印章（图72），印文为："MUNTZ'S"，译为"蒙治黄铜熟铜"（含铜60%，锌40%）。中国传统建筑的檐口，向来都是通过屋面瓦作自然落水。檐口采用金属隔漏下水，应是清代中期以后才出现。这类在建筑檐口采用接水、落水管的做法，在欧洲远比我国早，故居铜隔漏上的文字均用英

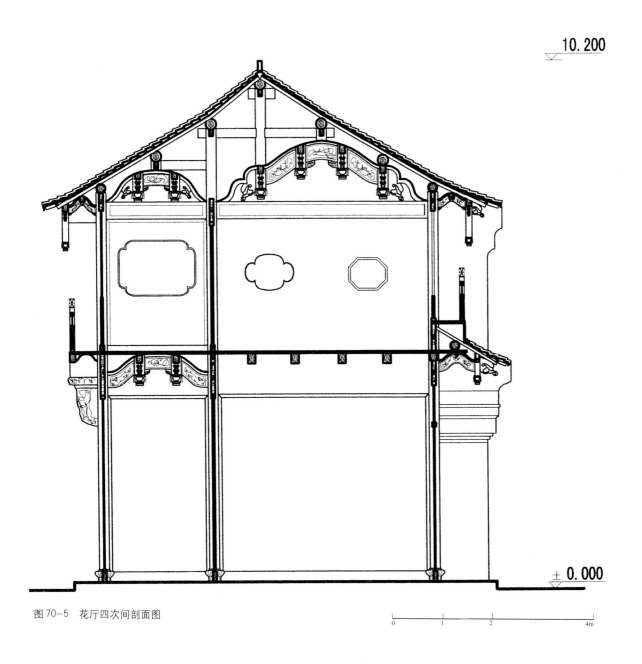

10.200

± 0.000

图70-5　花厅四次间剖面图

文，看来这些材料当时都是从国外进口的。宅内原建筑都用这种铜制隔漏作接水、落水管，因此这次维修，胡宅内所有屋面接水、落水管全部用黄铜皮做成（图73），所用黄铜皮总面积达700平方米左右。

这次对花厅四的维修主要是配备门窗，式样依照老七间。根据沈理源的平面图，一楼主楼为三开间，两次间做槛窗，明间用落地长窗，因此，修复中明间配备檐柱两根，磉磴两个，式样按次间做法（图74）。二楼前后糟朽阳台或改拆部分

均复原整修，对多处檐椽、飞椽、挂落、垂花柱、楼板、楼梯、两处马头墙和砖细作了修复，并对整个屋面作了翻修。

故居修复竣工半年后，我们从中国建筑设计研究院建筑历史研究所征集到一批五六十年代的故居照片，照片显示花厅四两侧山墙为观音兜式，而不是人字坡式样（图75），这说明维修前的人字坡山墙是后期改动过的，为此，我们立即按照原样恢复了山墙。

在维修二楼时，我们在南面窗门抱框上发现

图71　花厅四山墙花窗

图 72 　故居原铜隔漏

故居原铜隔漏上的印章

梗臼位置处留有梗臼外轮廓的痕迹，形似蝴蝶。故居内其他原有建筑门窗上，也保留有少量的铜制摇梗及梗臼，但仅是一种元宝形梗臼，而未见蝴蝶形的，为此，我们调查了同期建造的胡庆余堂，果然在其门窗上见到了这种形制的梗臼。这种梗臼窗上是蝴蝶形，窗的下方却是香炉形的。

图 74 　花厅四的磉礅

1903 年大桥式羽著《胡雪岩外传》说："那窗臼（即梗臼）都是用云铜铸成半个香炉式子的，用大螺蛳锁在上面，很觉古媚。"《胡雪岩外传》提到的这类门窗梗臼与胡庆余堂及在花厅四所发现的梗臼痕迹是一致的。

花厅四西侧山墙，也就是故居的西面大围墙，其墙顶三线叠涩下原都有堆塑，维修时发现该楼山墙原有的砖细墙已改为粉刷墙，为了恢复砖细墙，我们清理了墙面的灰墁，发现此墙上部的堆塑与楼前西墙上的堆塑是连为一体的。我们

图 73　铜制落水管

图75　原花厅四的观音兜东山墙

认为当年营造故居应是有详细计划的，不太可能
做好了堆塑再去建房屋挡住它。例如，同一面墙
上的水木湛华，即紧贴西围墙建造的，其后檐靠
墙上方就没有堆塑。据此分析，花厅四应比芝园
和其他建筑稍迟营建。

图 77　破屋

七、破屋

破屋在新七间西侧一座四面高墙的独立院落内，全部用银杏木营造，上下均为一开间，宽6.33米（图76:1-4、77）。一楼带前檐廊，内不设扶梯，而是从新七间二楼楼道进入其二楼。楼前有一个青石板铺地的小天井，没有任何花木。二楼梁架用两榀置左右山墙上，为抬梁、穿斗混合式，采用七架前三步后三步分心用三柱。梁架十分简陋，形状呈长方形，不作雕饰。一楼前檐廊上端作弓形轩梁，梁下两侧出雀替，梁上作轩檩，其上置轩椽及望砖。

在修复屋面时发现，屋面望砖厚达2.5厘米，这样就给本来跨度就超大的屋面增加了过多的压力，使脊檩等所有檩木及连机（连机特意做厚做高）均发生很大挠度。因此在修复中，我们加大所有檩条截面，换掉因挠度已下坠变形的所有连机，对其中两支全部糟朽的檐柱进行了调换，对全部脱落的前檐廊轩棚进行了维修，断裂的额枋榫头，也采用钢结构对串螺杆加固（图78）。

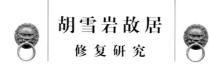
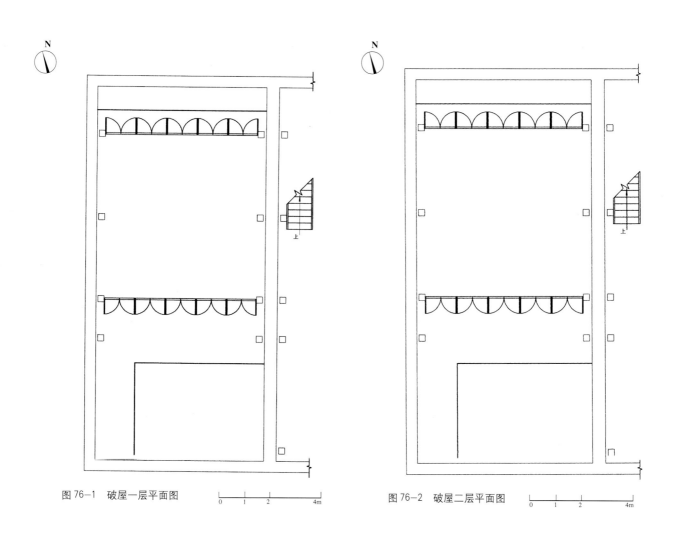

图 76-1 破屋一层平面图

图 76-2 破屋二层平面图

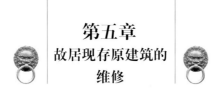

第五章
故居现存原建筑的
维修

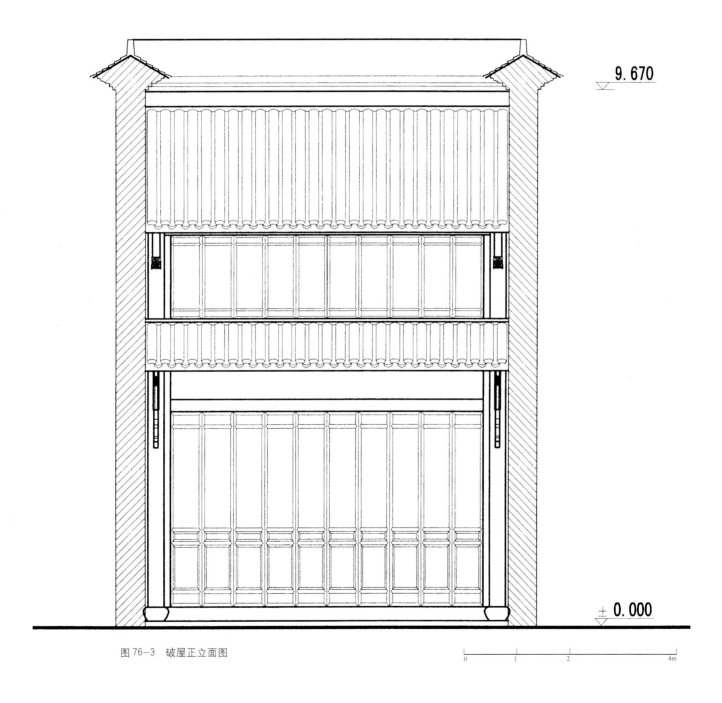

9.670

± 0.000

图76-3 破屋正立面图

0   1   2   4m

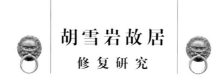
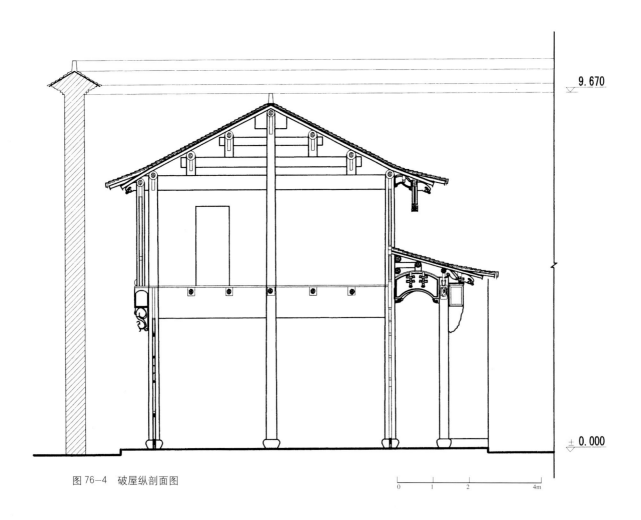

9.670

± 0.000

图 76-4　破屋纵剖面图

0　　1　　2　　　4m

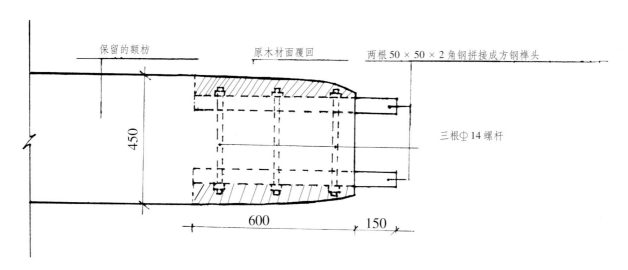

保留的额枋　　　原木材面覆回　　两根 50 × 50 × 2 角钢拼接成方钢榫头

450

三根 Φ 14 螺杆

600　　150

图 78　破屋额枋榫头加固示意图

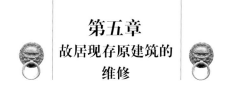
八、下房

故居内原有下房两处,其中靠正厅一处已被拆毁,仅存基础遗迹。而老七间北侧一处二层楼下房,主体结构保存基本完整(图79:1-3)。下房的明、次间梁架为抬梁式,用七架卷棚,前檐廊用三柱,用单步轩月梁,上置轩檩、布轩椽和望砖。檐檩下作挂落,檐柱上出象形梁头。山面梁架用五架抬梁用二柱。以上除廊上用月梁外,其余梁架均为素面长方木。

下房一楼因被住户改为浴室和厕所,沿墙柱子下段大部分腐烂,隔扇门和间壁门也被拆除改为砖墙。二楼檐椽、飞椽、檐檩、前檐廊栏杆、挂落、牛腿和楼板都有不同程度腐烂,但隔扇门窗和间壁门,尚有部分残留,我们都相应做了修复。因下房二楼和老七间二楼相通,原住户把扶梯拆掉多设了一间房间,这次修复按沈理源的测绘图对下房扶梯进行了复原。

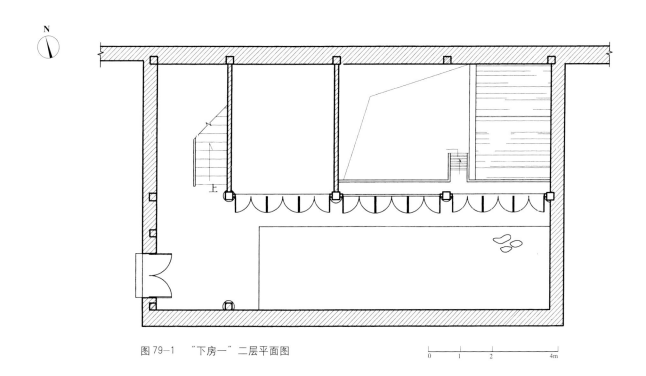

图79-1 "下房一"二层平面图

0   1   2   4m

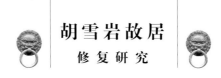

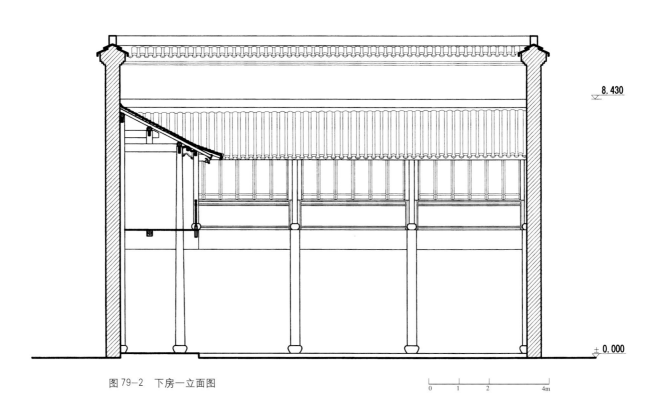

图 79-2 下房一立面图

8.430

± 0.000

0 1 2 4m

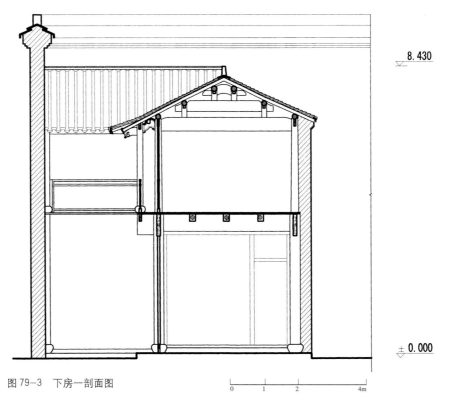

图 79-3 下房一剖面图

8.430

± 0.000

0 1 2 4m

图80 小厨房

九、厨房

故居共两处厨房，仅小厨房（厨房二）基本完好地保存下来。小厨房是个独立的院落，四面高墙防火（图80）。小厨房的建筑十分简陋，采用单披屋的形式，梁架保护十分完整。在大披屋面的正中位置开老虎窗（即气窗）。维修中仅整修了屋面，调换个别椽子，复原了全部门窗。

从故居的遗存建筑看，与沈理源实测图基本一致。一些疑难问题，如沈图上示意的檐柱与檐柱之间的二条线以及建筑上的铜铸件中的梗臼与红绿玻璃的镶嵌等，都在修复中得到逐一考证，对修复工作顺利展开起到了重要作用。

第六章 Chapter 6
故居毁坏无存建筑的复原

Restoration of Demolished Parts of Residence

胡雪岩故居在修复前，已获得一些反映原建筑面貌的老照片和1920年沈理源主持测绘的全宅总平面图。此外，还有当年知情人所写的《胡雪岩外传》，其中有大量对胡府建筑的描写，这些无疑都是复原研究的重要依据。但是重要的还有通过考古手段取得的地下遗存的实物资料。

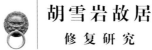

第一节 复原依据
Section 1 Restoration Basis

一、以考古手段获取的遗存材料

对于残缺过甚或仅存遗址的文物建筑进行复原考证，首先需要获得遗址、遗物的考古学材料。在占有考古材料的基础上，再结合文献、图像等材料进行复原考证研究。胡雪岩故居在修复前，已获得一些反映原建筑面貌的老照片和1920年沈理源主持测绘的全宅总平面图。此外，还有当年知情人所写的《胡雪岩外传》，其中有大量对胡府建筑的描写，这些无疑都是复原研究的重要依据。但是重要的还是要通过考古手段取得地下遗存的实物材料作为直接的证据。

1999年10月底至2000年1月初，杭州市文物考古所派梁宝华同志主持胡雪岩故居已毁部分的考古调查和清理工作，除残存建筑中的门楼、轿厅、老七间、新七间、东下房、破屋和花厅四以外，考古工作共清理已毁部分遗址1338平方米，揭露的已毁建筑遗址有正厅、西下房、厨房一、东四面厅、西四面厅、鸳鸯厅、花厅一、花厅二、花厅三、红木厅以及相配套的园林设施等。这些遗址均被一些违章建筑，特别是杭州刀具厂的厂房、办公用房、家属宿舍严重毁坏和叠压。考古清理工作分几个区场进行：

故居中部遗迹 以正厅为主体，包括下房一、大厨房遗迹共清理面积195平方米。正厅位于照厅北面，其建筑基础由于原作青年中学大操场，所以受到严重破坏，已不复存在。

厨房一位于正厅的东南方，保存情况略比正厅好，遗址东西长10.8米，南北宽6米（图81）。其南面天井尚存，东西长6.5米，南北宽6米。靠西南角有一水井，井壁用长方形条石呈六边形错角砌成。井口直径0.34米，井深7.5米。厨房原主体建筑的台阶条石尚在，并保留有原大门的4个台阶。

下房一的基础遗迹保存完好（图82）。该建筑基础分作四开间，每间宽3米，进深4.3米，基础只高出地面0.2米。每间房间的踢脚线宽0.2米，厚0.06米，均用青石作成，地上还用相同青石料0.8米相隔横向铺置，说明当时每间屋内铺有木地板，这些横向青石条即是地板下的龙骨。下房一最西边一间遗迹的中前部发现大小不等的5个鼓状磉鼓石。下房一北面是与正厅后花园相隔的围墙基础，前面是青石板铺装的天井。在天井的东南角又发现几十个原建筑拆下来的磉鼓石（图83）。

东四面厅位于正厅后花园的东部，其屋面基础受到严重破坏，但建筑的台基大部分保留。台基高于地面0.5米，南北长14.5米，东西宽8.85米。西四面厅台基南北长14.5米，东西宽8.85米，与东四面厅相同，而且两者都用青石筑台基壁面（图84），其上有简单的刻划纹。东四面厅东面园林爬坡廊及相关园林遗迹南北长20米，东西宽10米（图85），经清理发现有残存的鹅卵石地面，鹅卵石直径2~3厘米不等，其拼花图案残破较甚，难窥其原貌。地面还分布有4个花坛（图86），其中3个间隔2.4~2.9米不等，皆用弧形条石砌成海棠花形状，直径1.4米。另一个为砖块砌成的圆形花坛，直径1.5米。靠西南角有一窨井，其上铺设太湖石盖板，中间凿铜钱纹渗水孔，直径86厘米（图87），南面接东墙爬坡廊处有假山基础。东侧爬坡廊基础也明显可见，宽1.5米，其壁面皆用三角、多角形石块作冰裂纹衔接砌成。

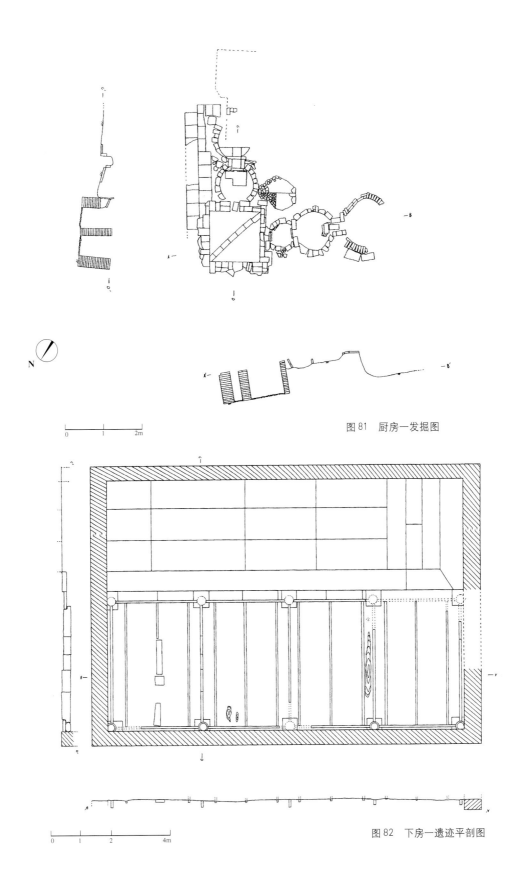

图81 厨房一发掘图

图82 下房一遗迹平剖图

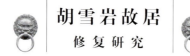

图83　故居内发掘出的磉鼓石

图84　四面厅台基

图86　东四面厅东面花坛

图87　东四面厅边窨井铜钱纹渗

图88 西四面厅西北角石亭遗迹

图89 西四面厅西面水池遗迹

胡雪岩故居
修复研究

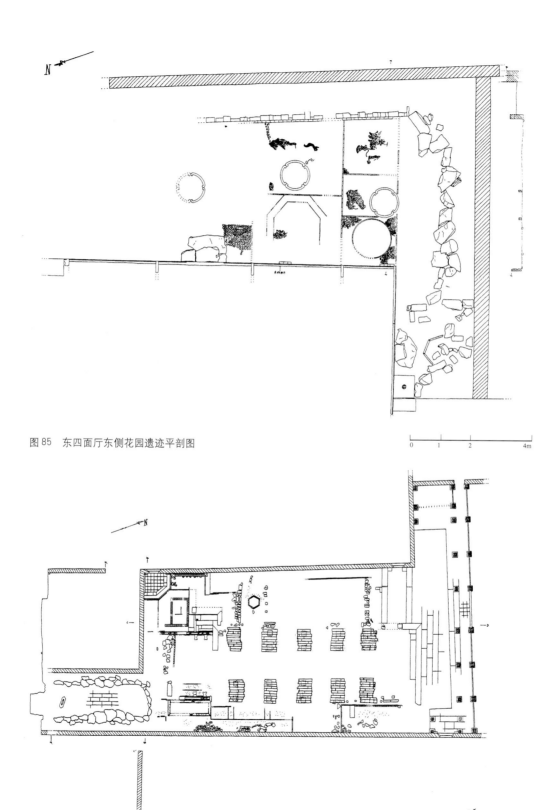

图 85 东四面厅东侧花园遗迹平剖图

```
0  1    2         4m
```

图 90 鸳鸯厅遗迹平剖图

```
0 1 2    4m
```

在东墙北侧约 2.5 米墙面上，保存有道光年间的法帖 3 块。

西四面厅西北角的石亭已毁，但残断的前檐青石柱、柱顶石和后檐柱柱顶石（平扁）均还在（图 88）。地面上残存拼砌的鹅卵石拼花，鹅卵石直径 2~3 厘米不等，图案有元宝、聚宝盆、菊花和金鸡独立等。在西四面厅西面，有一长方形水池遗迹，南北长 12.4 米，东西宽 2.2 米，深 1.5 米，池四壁驳坎用太湖石等错落叠砌（图 89）。在这些石块驳坎的后壁内有圆形小洞，深入池底以下，直径 10 厘米左右。在水池中间还有桥墩残损构件，证明曾有横跨水池的平桥。

故居东部遗迹 以鸳鸯厅建筑为主体及厨房二、花厅一、花厅二和周围相配套的园林设施等遗迹共清理 433 平方米。起初根据沈理源的实测平面图，有人对鸳鸯厅的营造提出疑问，理由是该楼的北边是二层楼的新七间，西面是高墙，不但采光不好，而且在这里建二层楼空间也很局促，因此认为测绘图一定有误。还有人认为这幢楼营造在这儿，是设计上的败笔。我们主要参照沈图对鸳鸯厅遗迹进行了考古清理。从清理的

情况发现，鸳鸯厅坐东向西，面阔五间，在廊柱与檐柱之下有相连的基础，也就是两柱之下筑有 2.5×1.5 米、深 0.7 米的大块石基础，前后共 5 组（图 90）。另外，我们还发现故居面向牛羊司巷的后门门楼原来与鸳鸯厅有相连接的廊子，因为很明显在门楼朝鸳鸯厅方向柱子上端有榫卯。这些发现证明了鸳鸯厅的存在和沈理源实测平面图的正确性。

在鸳鸯厅天井内，铺有黑白相间的残存鹅卵石地面，鹅卵石直径 2~3 厘米不等，后天井一侧也铺设有排列有序的鹅卵石地面，由宽 70 厘米的横向路面相隔，路边两侧用 14×7×3 厘米青砖砌筑包边。鹅卵石地面从北至南分成 3 块，拼有漂亮的聚宝盆、菊花、铜线、"平升三级"等图案（图 91）。其中保存比较完整的图案有铜钱元宝、如意等组合的聚宝盆，残长 1.4 米，宽 1.35 米；两端对称的菊花，直径 30 厘米；连环相扣的铜钱，直径 25 厘米。其他大部分图案均缺损。后天井东侧，有宽 70 厘米的依东围墙而建的小假山石块基础。在天井西南方，出土一个用青石条砌成的六边形花坛，直径 1.4 米，其花坛六边形相接缝处，

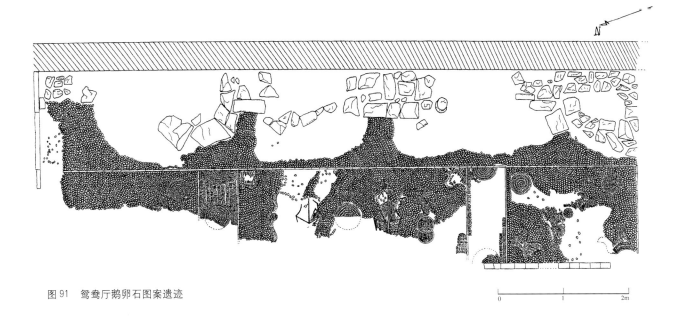

图 91 鸳鸯厅鹅卵石图案遗迹

图 92　红木厅台基

图 93　红木厅露台冰裂纹壁面

图 94　红木厅西侧井圈石

都镶嵌有铁制银定榫。位于鸳鸯厅南面厨房二东墙的残存小水池，南北长10.5米，东西宽2.5～3.5米不等，深1.5米，四壁用石块呈错落状叠砌，在这些叠砌池坎的后壁上有间距15～30厘米不等外包黄土（一种黏土）的竖形圆孔，孔径10厘米。这些圆孔深于池底。池底铺青石板，水池中出土折桥桥墩两个，桥墩系一整块青石凿成的两根支撑桥梁的立柱，宽1.3米，高1.5米，折桥连接花厅二北侧小院与故居东围墙斜廊，由此可以直通鸳鸯厅。这些遗迹均与沈理源的实测平面图相吻合。

老七间东南的檐廊保存较好，出檐廊的"竹苞"石库门，有角亭、曲廊和假山的遗迹。亭子南北长2.9米，东西宽2.7米，呈三角形，周边铺宽35厘米，长短不等的青石板，中间以35×35×5厘米的青色方砖墁地。北侧有相连的曲廊遗迹残存，从断面可知，还是用35×35×5厘米的青色方砖墁地，砖下排列倒置的粗瓷盆，其间掺

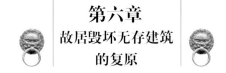
杂黄沙。粗瓷盆口径25厘米，高15厘米，主要用途是防潮及固定地砖。东侧有依小厨房围墙而建的假山基础，地上有鹅卵石铺就的小径（见图90）。在清理中发现花厅一、花厅二及楠木厅的东南部的屋内基础均受到严重破坏，仅有部分残存。

芝园遗迹 以红木厅为主体包括花厅三和大面积的园林建筑遗址共清理710平方米。红木厅位于芝园中北部，经清理发现，尽管建筑基础严重破坏，但还有少部分保存。清理时发现了红木厅的前檐阶条石，这些阶条石宽0.67米，长4.02米，厚0.11米，表面风化严重。在阶条石正中有二台阶遗迹，保存了大部分的红木厅建筑台基。台基东西长12.45米，南北宽10.75米，高0.5米。在台基的东、西、北三面均用青石作壁面，其上雕有精湛的鹿纹、鹤纹、麒麟纹、缠枝纹和花鸟纹等组合纹饰，每转角处都凿雕竹节纹（图92）。

红木厅前面筑有大露台，东西长9.7米，南北宽4.7米，残高1.42米，其露台东西面及南面壁面均采用太湖石作精细的冰裂纹叠筑（图93）。另外红木厅东西两侧各有水井一口，井口直径0.35米，井深7.5米，井壁均用长方条石呈六边形错角砌叠而成（图94）。在露台东侧有一用青石砌筑的六边形花坛，直径1.44米。

大水池位于红木厅南面，东西长23米，南北宽8～15米不等，深1.2米（图95）。西部有横贯南北连接红木厅和大假山的曲桥和三孔石拱桥基础。在拱桥南面与大假山之间筑有两个桥墩，间距2.7米，北面与红木厅露台之间筑有3个桥墩，间距3～3.2米。桥墩均是由青石凿成的中间雕空的两根立柱，两立柱镶插在底部石座的槽内，宽1.3米，高1.4米。大池内原有一座三孔石拱桥，这次出土石砌的桥基座（金刚墙），有4个支撑上部拱桥的基座平台，南北通长9米，东西宽3.37米，残高1.7米（图96）。其两端基座平台宽1.3米，中间两平台均宽0.76米，两侧桥洞宽1.2米，中间桥洞1.7米。桥上拱板石已缺，大多原拱板石拆毁后丢在池内，这次清理发现不少（图97）。

在三孔桥西北侧池底黏土层上面，发现有铺设在一层薄灰浆面上的一块残存铜皮（图98）。铜皮残长220厘米，残宽16厘米，厚1.5厘米，在池壁边约5厘米处用枭浆石灰压着。池底分三层铺就，第一层为黄铜皮，其下为2厘米的灰浆层，第二层为厚达40厘米的灰黄土，第三层为22厘米夯筑较硬的黄土。不计铜皮和灰浆，实际池底为二层防渗措施。此池床不作锅底状，而用灰黄土（杭州俗话称之为"黏土"）铺平。另外，在三孔石拱桥北侧还发现了残存梅花桩桥墩4根，桩木直径5~8厘米。

位于大水池西北隅，有水上折廊遗存的4个桥墩。该桥墩结构与规格均与池中折桥桥墩相同，间距为2米、2.2米、2.6米不等。原折廊由花厅四通过小水池至故居西部围墙处南转，经过水木湛华通向大假山的基础大都留存。长廊内的原地面，有的采用较平的太湖石板铺设，水木湛华与其附近的阶沿石也均用太湖石砌筑，用料与砌筑水准极高。连接花厅四一段折廊廊宽1.4米，地面也为太湖石铺设。

大假山位于大水池南面，北临大水池，南贴故居南墙，东西长35.5米，南北宽10~15米不等，残高2.5米，呈不规则状（图99）。下部基础基本尚存，上部破坏严重，但四照阁、冷香院基础保存较好，影怜院也有所保存（图100）。四照阁基础四边用宽20厘米，长短不一的青石板铺设，东西长9.3米，南北宽8.3米。四照阁以西贴故居西墙往南有通向假山洞口的折廊残基，宽2米，其中残存7个鼓墩以及石板铺设的地面。假山洞口残存自然石垒砌的三级蹬道，大假山下部设有互通的洞隧，洞内的曲径铺有鹅卵石，鹅卵石直径

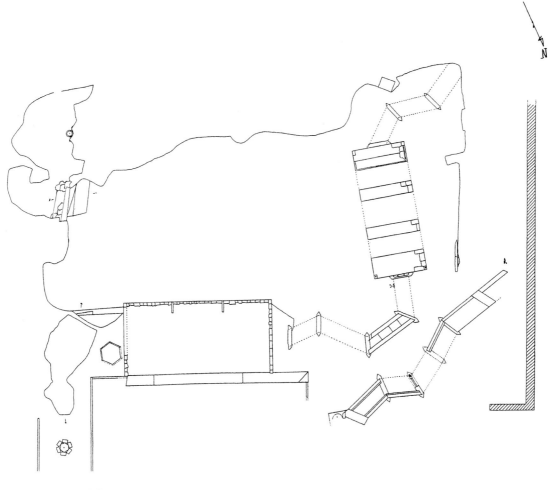

图 95　芝园大水池遗迹平面图

　　0　1　2　　4m

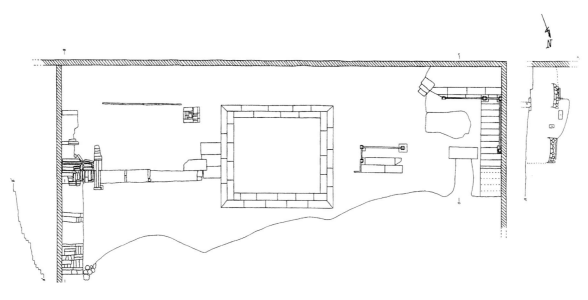

图 100　四照阁、冷香院、影怜院遗迹平面图

　　0　1　2　　4m

图 96　芝园大水池拱桥基座遗迹

图 97　大水池拱桥板石

图 99　芝园大假山

图 98　大水池底部铜皮

图 102　芝园水池出土字匾

部分原来都镶砌在建筑物上，现保存完整的砖雕匾额有"延月"扇形，高 22 厘米，宽 57 厘米；"延爽"桃形，高 34 厘米，宽 49 厘米。还有一些残留一个字的残砖匾额，如"书"、"林"、"怡"、"教"、"谖"、"谱"、"延"等（图 102）。砖雕纹饰比较丰富，有人物、山水、花鸟、缠枝纹和云树纹等（图 103、104）。石刻大多在大水池中出土，其中有汪士铉行书、齐为南草书、郑板桥行书、翁方钢行书、黄庭坚行书、祝枝山行书、董其昌行书、杨继盛草书、八大山人草书、李仙根行书、铁

2~3 厘米不等。在西北侧山洞内，发现有一口水井，用太湖石精细雕凿的六边形井口依然保存完好，井口直径 0.35 米。井壁用长方形条石呈六边形错角砌成，井深 7.5 米。在其假山洞的洞壁上有多块太湖石石刻书法及其他帖石。井上方假山山洞上有引人注目的"云路"二字（图 101）。在山洞东段的西壁，有从北往南拾级而上的斜廊，宽 1.5 米。大假山与大水池之间，东西向设有 1 米宽的石堤，用鹅卵石铺砌路径，鹅卵石直径 2~3 厘米不等。沿这个石堤路径，可进出假山洞隧。在大水池的东北角，筑有仅 7 平方米左右的荷花池。大水池的东南有一洗药池，该水池一半露天与大水池靠近，一半延伸到大假山内。

在花厅三清理中发现，其建筑遗迹已全部被杭州刃具厂破坏无存。

出土建筑遗构　在考古清理的建筑遗物中有大量的砖雕以及石刻等构件，其中许多为残损物件。砖雕大

图 101　假山内山洞及石井

图 103　芝园大水池清理出的砖雕构件

图 104　芝园大水池清理出的砖雕构件

禄草书、周廷桓草书、柯山行书、宣重光草书、陈芯尹隶书等古代书法名家的帖石。另外在大水池中出土有雕刻双鱼纹等多种式样的方形望柱和石栏杆构件（图105）。还有，在大水池西北角出土绿色竹节瓷套管碎片，这种竹节瓷套管在西四面厅西面小水池东侧也有出土，但是红色的（图106），当时在套管内发现了残留的被枭浆石灰粘结的方钢一段，证明这两处原来都有外表用竹节形彩色陶瓷器装饰的方钢栏杆扶手（图107）。

二、沈理源主持测绘的全宅实测平面图

胡雪岩故居有一张实测平面图，是民国九年（1920年）华信工程公司工程师沈理源主持测绘的，距今已有80余年的历史（图108）。从杭州市房管局档案查阅到，该图纸是1956年10月25日通过挂号信方式寄到杭州市档案馆的，寄信人地址是：中国人民银行天津市分行。

杭州市档案馆收到信与图纸后，有位金佘生写信给杭州市一位姓莫的科长，内容为：

莫科长：

市委档案室魏沈同志送来一张图纸，要求代为查明两点情况：1、该房现在是否还存；2、如果还在，房屋状况如何？是哪个单位使用，请直接与魏沈同志联系（附图纸及信套）。

沈理源原名沈琛，1890年7月11日生于浙江杭州，高中毕业于南洋中学，因成绩优异，经学

图105 芝园水池出土的石望柱

图106 西四面厅西面小水池出土的红色竹节瓷套管

图107 西四面厅西面水池瓷管包铁杆残迹

校推荐于1915年公费留学，入意大利奈波利奥工科大学攻读土木和水利工程。7年后回国，就任黄河水利委员会工程师，时间不长，就转向建筑设计工作。初期在北京曾和一位殷姓工程师合作设计了北京前门外劝业场和东城真光电影院工程，两处建筑均为西洋古典形式。他自己的第一个设计是杭州的浙江兴业银行，以后在北京定居，成立华信工程公司，在北京、天津地区执行建筑师业务。沈氏一生在建筑设计上颇多佳作，多采用欧洲文艺复兴时期的建筑风格。此外，他还曾兼职教学工作。1928~1934年任国立北平大学艺术学院建筑学系教授。1938~1951年任国立北京大学工学院建筑工程学系教授。新中国成立后，沈理源任中央人民政府纺织工业部总工程师，兼任天津市人民政府建设委员会总工程师职务，一直到1951年11月21日病逝于北京宅邸，享年62岁。

沈理源1920年绘制的胡雪岩故居实测平面图，是2号图纸，图上所注尺寸均以英尺为单位。平面图至今清晰，从尺寸换算来看也较准确。这是在故居还没受到破坏的情况下作的全面实测，十分珍贵（注：图中元井巷系袁井巷之误）。

胡雪岩故居在修复前，如正厅、后花园（包括东西四面厅、石阳台、斜廊、藏春亭）、楠木厅、花厅一、花厅二、鸳鸯厅、花厅三、红木厅、四照阁、影怜院、冷香院和水木湛华等都已全毁，虽然有的建筑有照片资料，但平面尺寸或几层建筑以及用什么形状柱子等都不知道。有了这张实测平面图，使我们对全宅的建筑布局以及单体建筑的柱网分布和平面情况与比例都有了全面的了解。如修复前，故居园林的假山仅存一部分，我们无法得知全宅假山的布局，而实测图使我们对全宅的假山分布情况一目了然。如果没有这张80余年前测绘的实测图，今天我们不可能对故居做出全面准确的修复。当时沈氏测绘平面图时，故居正被军阀占用，测绘工作有可能存在诸多不便，因此，这张图也存在一些不足，例如故居内有3处建筑与构筑物没有绘在图上，一是故居内原有的7口水井（其中一口在大假山前小道上，由于大水池改筑钢筋混凝土，施工时被毁）。其二是，芝园水池应是3座，图上仅为1座。其三是，花厅一与花厅二中间的庭院内，靠南墙应有一座水池和一座石基座平台水榭，测绘图上也漏掉了。测绘图的这些不足，最终均由遗址考古材料作了弥补。

总的来讲，沈理源这张胡雪岩故居平面实测图，对故居的复原重建起到了非常关键的作用。

在故居修复之前，看到沈氏实测图，感觉建筑太密集，园林布置也有拥挤之嫌（但是在故居修复中，随着施工的进展我们越来越感到了故居设计者的智慧），因此，有人反对全面复原故居。我们认为，胡氏故居建筑密度大是历史事实，我们要尊重历史，修复的科学性就表现在历史的真实性上，我们不能随意改变其历史的原貌。

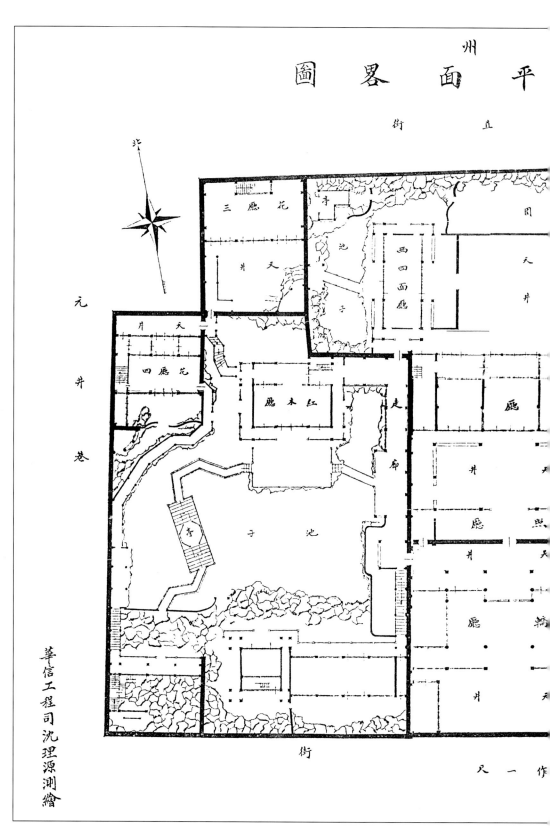

图108　1920年沈理源主持测绘的胡雪岩故居平面图

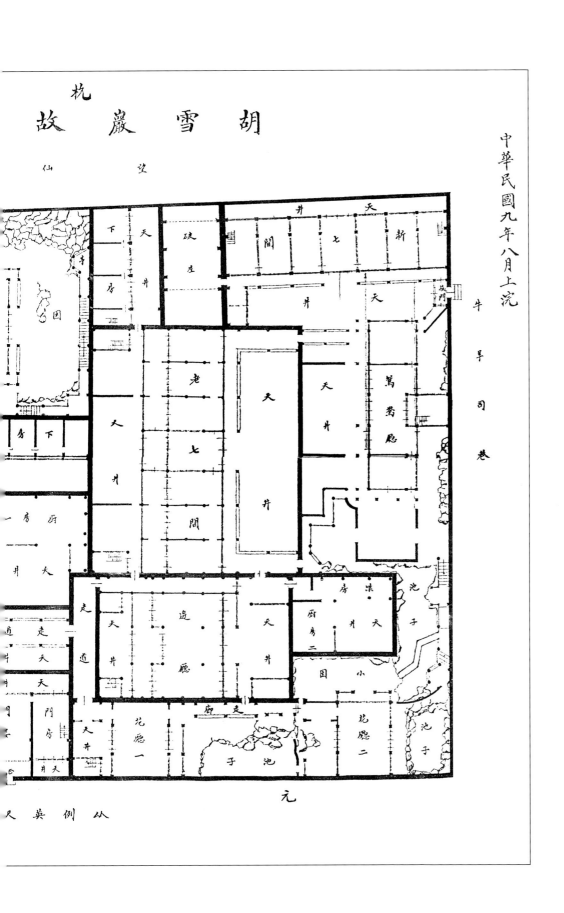

三、毁坏前的照片和测绘图

胡雪岩故居的修复虽有沈理源实测平面图为依据，但建筑空间、立面、形式是需要照片资料来弥补的，对于修复工作来说，原物照片是最可靠的资料。为此，我们向社会广泛征集有关照片资料。这样我们在开始修复工作时征集到了第一批照片，胡雪岩故居竣工开放半年后又征集到了第二批照片。第一批照片约十几张，这里重点介绍几张：

正厅与部分后花园（图109）

照片由原杭州青年中学赵雪芳捐赠（杭州青年中学1958年创建于胡雪岩故居，1960年后迁出）。画面是少先队员整队入场的场面，背景操场处是正厅、四面厅、藏春亭及石阳台的位置。我们可以看到正厅、四面厅、藏春亭及园林假山已不复存在，仅后花园北墙下有零碎假山石，西墙上依稀可见固定假山用的定位石，墙面正中还保留有残破的石造阳台。阳台南侧已没有围栏，东侧围栏虽还完整，但因照片太小，看不清其形式和纹样，阳台下有一些很难辨认的挂落痕迹，在石阳台的正上方墙面镶嵌一块石匾，这类石匾做法在江南园林常可见到。北墙已有部分拆低，西侧墙后即是原花厅三的院落。在该院的西墙处，隐约可见筑得很高的披檐，究竟是什么建筑，不得而知。

图109　原正厅与部分后花园位置

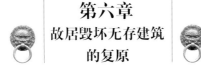

桥亭（图110）

　　照片是原胡庆余堂职工赵玉成60年代初拍摄的。维修桥亭时，仅此一张照片资料。这张照片基本属正面拍摄，画面将亭的类似楼阁的重檐建筑表现无遗，其平座、低栏、格窗、翼角起翘和葫芦宝顶等也基本清楚。对石拱桥墩进行考古清理发现，三孔均存在，我们以拱桥孔宽的实际尺寸为基准，在照片上按比例量得亭子的全部尺寸，也就是说，这张照片为复原设计提供了尺度依据。图中桥正中栏板与扶手清晰可见，下方嵌有扇形石匾额，修复时也都照此形状复制。此时池中已完全无水，池内还有一棵棕榈树，说明池水干涸已不是一年一月了。当时从照片上看，水木湛华的屋面比西围墙还要高，这使我们很费解。

图110　原桥亭

芝园部分拱桥、亭、廊（图111）

照片由原杭州市话剧团周才里捐赠，图中人物站在红木厅露台西侧。从其背景看，芝园大水池拱桥栏杆基本清晰，更为可贵的是画面显示出拱桥栏杆望柱的形状。在考古清理中我们发现有好几根这种式样的望柱，修复后所见旧望柱，就是根据这张照片在出土构件中查找出来，物就原位的。画面左侧有一块玲珑剔透的独立石峰，旁衬一瘦高的石笋。其后是西长廊，该廊相距水木湛华1.5米处的屋面向上折起，均用小青瓦。在画面左角，还有桥亭翘角与水木湛华北侧部分屋面。西墙上的堆塑较模糊，已难辨认出内容。

图111　原芝园部分拱桥、亭、廊

四照阁（图112）

照片由原杭州话剧团董杰捐赠。该照片为1962年6月拍摄，是杭州艺训班第一届师生合影。（照片最后排正中是董杰先生）。这张照片是在芝园东长廊和正厅天井位置拍摄的，左侧是正厅与芝园东长廊相隔的围墙，这堵墙已被拆毁一半，画面显示的是该围墙拆毁的断面。照片上看到的那幢建筑就是芝园中的四照阁。四照阁楼层有腰檐，翼角高翘，每转角都设一根立柱，很明显二楼门、窗均有改动。右侧屋面又有翼角起翘的是芝园中的桥亭，由于照片不清晰以及芝园内树木遮挡的原因，有的建筑很难看得到。紧贴四照阁腰檐处的屋面是冷香院。从照片上看，冷香院屋脊高于四照阁腰檐，基本与四照阁二层槛墙等高。这应是原四照阁立面的主要依据。

当胡雪岩故居开放几个月之后，中国建筑设计研究院建筑历史研究所傅熹年先生与陈同滨所长到杭州参观了胡雪岩故居，他们告诉了浙江省文物局杨新平先生该研究所珍藏有故居毁坏前的照片，才使我们有幸前往北京征集这批老照片。在该所大力支持下，我们从中挑选了52幅照片，这些照片又一次为胡雪岩故居的修复提供了重要依据。当时故居虽然已竣工开放，但以照片对照修复后的建筑发现有出入的地方，我们还是以科学的态度坚决予以修改，力求做到与实际情况相吻合。

中国建筑设计研究院建筑历史研究所还向我们提供了芝园平面图以及桥亭、扇面亭（绿梦亭）、砖细图案等图纸，图纸上均有"中国建筑研究室1954年7月绘制"的字样。借此可以推测这批照片中有的可能是在绘图同时拍摄的。

图 112　原四照阁

图113 原门楼砖细墙

门楼砖细墙（图113）

这是门楼天井东侧的砖细墙,尤为突出的是
狮子舞绣球图案,雕刻十分精致。

后花园园林墙（图114）

　　这是 50 年代初拍摄的一张照片。图中之墙应是正厅后花园后部的装饰性隔墙，该墙参照沈理源实测平面图，有东西两堵。这堵隔墙的墙顶采用筒、板瓦和如意滴水。墙头瓦檐下，有回字纹边框，其内作堆塑。在画面的左侧有洞窗，窗框用砖雕作成，有湖石从洞窗探入院内；右侧开有入角长方洞门，砖细门框，门上方嵌扇形"班笋"两字砖额。

图114　原后花园园林墙

四面厅局部（图115）

这张照片是建筑的局部，反映了建筑的柱子、挂落、琴枋、牛腿、雀替、斗栱、硬戗起翘、圆形檐椽、方形飞子和檐灯钩的情况，特别是檐口隔漏的情况（铜制接水沟，成半圆形截面，每隔一段采用铁钩作固定，一直做到戗角最前端）。笔者分析，这里应是正厅后花园中的四面厅一角。

图115　原四面厅局部

图 116　原后花园石阳台

后花园石阳台（图116）

　　照片上的石阳台清晰可见，正中上方墙上
嵌石匾一块。

图 117　原老七间前廊轩棚等

老七间之一（图 117）

以照片中梁架上的图案与现存建筑相对照，所拍的是老七间北次间与稍间前檐廊轩棚的斗栱、梁架与槛窗。

老七间之二（图 118）

这是老七间南后檐的照片。从照片看，后天井还留有原隔断墙的基础，此墙沈理源实测平面图有所表示。该墙裙非常讲究，是用大块条石砌成，并在上方雕有花纹。

图 118　原老七间南后檐

鸳鸯厅砖雕景窗（图 119）

　　这是鸳鸯厅前墙面砖雕景窗中的一幅，风格十分别致，由类似缠枝花卉的对称草龙组成，景窗正中再雕一小景，这种形式独特、富有创造的景窗并不多见。

图 119　原鸳鸯厅砖雕景窗

桥亭之一 (图120)

　　该照片是在原红木厅位置上拍摄的,画面以桥亭为主兼顾了红木厅露台石栏杆、拱桥、折廊、部分水木湛华和冷香院等。内容比较丰富,是一份极重要的资料。特别是我们从中得知水木湛华的三个屋顶中的两个。水木湛华北侧的低屋顶最高处,从西围墙脊下开始至单坡下斜,檐口不起翘。正中是座人字坡屋面。该屋面明显作翼角高翘。靠照片最左侧(南)是冷香院,该建筑是建在假山上的二层楼,楼的腰檐脊部高于西围墙几十厘米。

　　这张照片还显示了红木厅露台一角的石栏杆基本完整,仅左侧栏杆有一望柱被毁。石栏杆望柱之间的间距颇大,虽有的栏板纹饰被毁,但左侧前端还留有大片纹饰。比较另一张照片推测,这张照片很可能就是1954年7月拍摄的。

图120　原桥亭及芝园局部

图 121　原桥亭及芝园局部

桥亭之二（图 121）

　　这张照片是在上述照片同一方位稍左拍摄的，因此亭子左后明显看得见上大假山斜廊的柱子与踏道，该踏道右边均用湖石砌筑。我们不难发现水木湛华的屋面瓦作比"图 120"明显毁坏多了。右侧露台石栏杆已经损失，照片中有两个女子坐在石栏杆上，一个在拉二胡，另一个在弹琵琶。大池中的棕榈树也长高了许多。因此，可以断定这张照片晚于"图 120"，应是 1960 年杭州市歌舞团进驻以后拍摄的。

图122　原桥亭

桥亭之三（图122）

　　该照片桥亭是由北向南拍摄的，可贵的是，二层的窗格拍摄得非常清楚。亭柱明显比较高，亭内四周设坐凳栏杆，弥补了前两张桥亭照片的不足。

图123　原桥亭内天花

桥亭之四（图123）

　　这张照片反映了桥亭内天花出檐的结构及装饰情况。亭内天花作满轩，正中轩棚做成伞状藻井——四周作八角形，每边用串枋相连，转角处作八只垂莲柱。垂莲柱与檐柱之间采用轩月梁，其上再覆轩棚。在每个轩月梁正中下方，有灯钩痕迹。檐柱间设上下两道额枋，其下枋雕刻人物故事，两枋之间正中设隔架科，檐下又作轩棚，可见亭子内顶部装修十分讲究。

芝园石拱桥（图124）

该照片是在冷香院一楼拍摄的。这张照片的折桥上拐弯处均凿有方形卯眼，用多倍放大镜观察发现，与折桥相接的拱桥两望柱均各在上、中、下凿有3个方形小卯眼，说明了原来应装有栏杆。从卯眼可以推测此栏杆的高度与拱桥石栏杆基本一致。沈理源绘制的平面图中这座折桥上没有栏杆的表示，1903年大桥式羽《胡雪岩外传》中描述"一面走着，一面看那座石桥是盖在水面的，两边都不用栏杆曲曲折折的通入洞去……"，说明曲桥上装栏杆是1920年以后的事。另外可以看到，桥亭东西面坐凳栏杆向柱外侧展宽，这种宽度不像普通的坐凳，笔者认为原来应是美人靠。

图124　原芝园石拱桥

芝园局部 （图125）

　　这张照片在原红木厅位置向南偏西拍摄，画面露台两侧石栏杆已毁，而拱桥、桥亭、水木湛华、冷香院和四照阁尚存，这些屋面基本清晰，无论哪个建筑屋面的正脊、戗脊都不是徽派风格。用放大镜观察桥亭戗脊瓦作及起翘，与传统的江、浙园林一个模式。照片显示这些建筑高低错落颇有层次。在大池边上高高耸起的是桥亭，其后有水木湛华屋面，并有45度高翘的戗脊。远处有比水木湛华还高的冷香院屋面，当中最高最突出的也就是大假山上的四照阁。

图125　原红木厅露台栏杆及部分芝园

图126　原四照阁

四照阁之一　（图126）

　　照片反映了四照阁的总体风貌。该阁二层有
腰檐，一层为落地长窗，戗角采用硬（讹作"嫩"）
戗的形式，翼角高翘，屋面作卷棚式样。二层的
槛窗已改动，而东侧影怜院已不复存在。左侧的
围墙上有一垂直痕迹，这正是沈理源实测图中表
示的大假山东侧隔墙遗迹。

图127　原四照阁西侧面

四照阁之二（图127）

该照片是四照阁的西侧面，清晰可见的是卷棚顶侧面正中有一长方形小八角琉璃漏窗，窗的四周有砖雕边框。从"图137"扑凉台看，屋面为阴阳合瓦，如意形滴水，但翼角处存有筒、板瓦，推测阴阳合瓦应是后来修配的。

图128　原冷香院侧面

冷香院（图128）

这是一张冷香院侧面的照片。冷香院二层楼，有平座栏杆（在西山墙下部遗存有一栏杆望柱）和腰檐。一楼不设门窗，方柱、阑额上刻有花纹，并作琴枋与牛腿。后檐西侧有登二楼的扶梯，二楼并非很高，用玻璃窗（应是后人改换的），檐下有轩棚。屋顶与腰檐均有阴阳合瓦，如意滴水。另外从"图137"看，腰檐出檐较深，上下檐两马头墙的制作与徽派不属一个体系，这些砌作方法是本地风格。

图129　原花厅四东山墙

花厅四东山墙（图129）

　　花厅四东山墙为观音兜式样，在与瓦作相交处的墙面上有规律的贴有釉陶制花边。在山墙的正中上方开有四个形状各异的景窗。最上方一个为长方小八角形，内作定制的镂空纹饰，其下开有并列的三个花窗，最左面为八角形，当中为海棠花形，最右面为长方八角形。

图130　原绿梦亭立面

花厅四绿梦亭之一（图130）

　　绿梦亭（扇面角亭）位于花厅四与故居西围墙相交处，此照片拍摄的是绿梦亭立面。画面角亭坐落在高高的台基上，台基高度约有花厅四月洞门的一半高。落地圆柱立在用弧形条石砌作的石板压面石上。角亭出檐不小，并在每檐柱上作有牛腿，美人靠仅存坐板。檐口高于西围墙贴墙假山，屋面采用筒、板瓦，角亭前右侧砌有湖石假山，左侧有一青石砌成的花台。与折桥相接处，还遗存条石与柱础，这应是原隔墙与折廊的基础，还可看出大池已干涸无水。亭的宝顶呈一座小亭的形式，非常别致，应是国内绝无仅有的一例，显然是受到西洋建筑的影响。

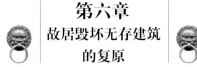
花厅四绿梦亭之二（图131）

　　画面显示亭内满轩，前檐处立圆柱，后檐为方柱。两墙壁面砌几何形立体砖细，周边镶抱框。两串枋上作轩月梁，其下安装雀替，均雕刻缠枝花卉。梁、柱上承向外圆弧的轩桁，两侧壁面均有垂莲柱，其上出斗栱和雀替承托桁条，上方布鹤颈三弯轩椽，覆望砖。

图131　原绿梦亭轩顶

图 132　花厅四前东侧围墙

花厅四前东侧围墙（图 132）

　　沈理源的实测图中，花厅四前有墙围合。从
照片看，东侧确有较低围墙与花厅四东山墙砖
细墀头下相接。此墙与墀头衔接压住了墀头的
砖细饰面，砌筑较为简单，而且基础甚浅，据以
推测这墙应是后砌的。

第六章
故居毁坏无存建筑
的复原

水木湛华之一（图133）

　　这幢建筑比较高，前面有拱桥与桥亭，从正立面拍摄拍不完整，所以这张照片只拍了侧面。该建筑三开间，用圆形柱子，不设门窗，阑额下左右用雀替，作一斗三升，屋面多用筒瓦、板瓦。

图133　原水木湛华侧面

图 134　原水木湛华细部

水木湛华之二（图 134）

　　这是水木湛华明间南侧隔墙砖细，上刻
"吟闲"两字。右侧还有法帖，边框均用砖雕精
心筑成，做工十分考究。

水木湛华之三（图 135）

　　画面可见屋面多用阴阳合瓦，并在明间上
方嵌匾额。

图 135　原水木湛华局部

图 136　原水木湛华局部

水木湛华之四（图 136）

这是水木湛华明、次间隔墙砖雕，该砖雕呈落地长窗形式，下抹头刻变形如意，绦环板（裙板）上雕凿重叠如意纹，中抹头刻人物，最上隔子版心雕刻大树。

图137　原芝园扑凉台及四照阁西侧面

扑凉台之一（图137）

　　这张照片是在芝园西斜廊位置拍摄的。该台左、右、前方位均设石栏杆，6根望柱头刻狮子，栏板主要透雕海棠纹，挂落也为石刻透雕，尤其

挂落与石柱固定用的榫卯，镶嵌在立柱内，制作得十分精美。

图 138　原芝园扑凉台

扑凉台之二　（图 138）

　　这是在红木厅露台拍摄的。因扑凉台的方位不正，所以前面两方形石柱，不在正东西线上，而是西侧石柱比东石柱靠前，落在了水池驳坎位置。东侧立柱则被砌筑的湖石所环绕。在这张照片上还可发现四照阁檐柱上有挂落。另外，扑凉台与四照阁之间的假山，砌叠得十分高峻，已经超过四照阁腰檐。这次修复中，此座高峻假山内的地面位置有一个直径约 1 米左右的洞口，该洞有多级踏道通向假山洞内。说明该洞应是假山溶洞与假山顶的通道。

扑凉台之三（图139）

　　此为扑凉台侧面照，在该台下方的湖石峭
壁上挑出一石块，其上叠置一块似猴又似猫头鹰
的湖石。

图139　原芝园扑凉台侧面

图140 原芝园大假山"皱青"洞外貌

芝园大假山"皱青"洞外貌（图140）

　　该洞上方镶有多块碑石，右侧建有花台。照
片右上方还可见四照阁的檐柱与落地长窗。

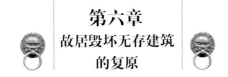
桥亭剖面图（图 141）

　　该桥亭为二层重檐八角亭，攒尖顶，屋面举折较平缓，檐椽作四五举，脑椽作七五举，正中立雷公柱，宝瓶葫芦顶。此亭采用江南地区惯用的老、嫩戗起翘，起翘为42度，桥亭一层檐柱间设坐凳栏杆，顶部作八角藻井，分立八根垂莲柱。檐下均作卷棚轩顶。桥亭二层（假楼层）设平座及栏杆，并在柱间作花格窗扇，檐下为卷棚轩，并设挂落。

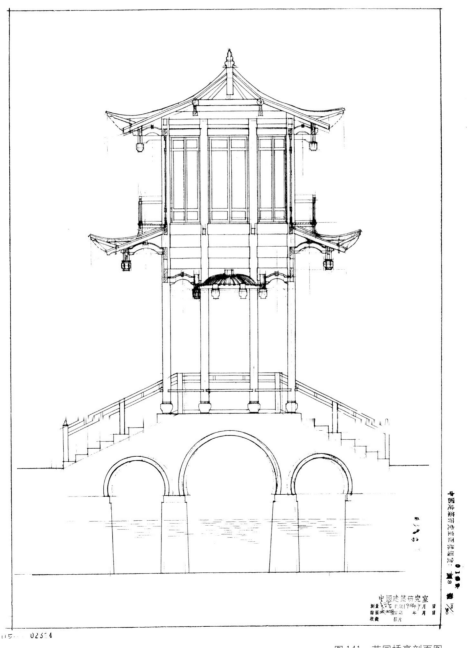

图 141　芝园桥亭剖面图

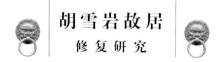
扇面亭（绿梦亭）图（图142）

　　此图分为平面图、仰视图、剖面图三部分，为
该亭的修复提供了宝贵的资料。

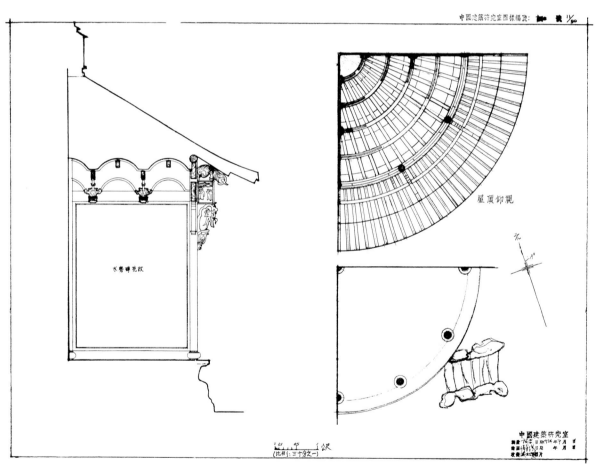

图142　花厅四扇面亭平、剖图

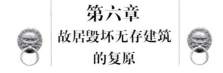

四、关于光绪年间《胡雪岩外传》的叙述材料

有关胡雪岩其人其事，百余年来地方志、文集和小说中都有记载，而关于其故居的文字却不多见。从现在所查到的资料看，只有《虞初近志·记胡雪岩故宅》和《胡雪岩外传》记述了故居情况。《记胡雪岩故宅》记述较为简单，而《胡雪岩外传》，虽然在形式上是小说体裁，但对故居的大体布局、各处建筑的名称等叙述得较为翔实，因此可作为胡雪岩故居修复工作的重要依据。

我们所依据的是1997年9月京华出版社出版的《胡雪岩外传》。该版本是依据光绪二十九年（1903年）日本东京爱美社排印本印刷的。阿英编《晚清文学丛钞·小说》四卷也收入有该书全文，题作《雪岩外传》，作者原署"大桥式羽著"。据江苏省社会科学院明清小说研究中心文学研究所编《中国通俗小说总目提要》（中国文联出版公司1990年2月版）称："署名大桥与发行所日本东京，均系伪托。"郑逸梅编著《南社丛谈》（上海人民出版社1981年版）所附"南社社友姓氏录"称：陈栩，原名嵩寿，字蝶仙，别署天虚我生、大桥式羽。据此可知，大桥式羽并非日本人，而正是陈蝶仙。陈氏大约是熟知胡雪岩的人，记录胡氏其人其事，而不愿暴露身份，所以才假托是由东京出版的日本人的著作。

《胡雪岩外传》是一部不包括附录总共十二回约五六万字的中篇小说，对胡宅尤其是"芝园"介绍得较为详细。对胡雪岩故居的修复来讲无疑是一本难得的重要文字材料。下面，对《胡雪岩外传》有关住宅、园林等方面的描写段落，逐一与考古清理的遗迹、遗物以及沈理源测绘的平面图等资料进行对照，以说明《胡雪岩外传》的纪实性。

在《胡雪岩外传》第一回中主要讲到设计"芝园"园林的是同治年间一位名士，姓尹名芝，湖北人，园林设计高手。胡雪岩聘他来改造宅内园林。当尹芝设计的芝园最终得到胡雪岩赞许认可后，尹芝推荐他在杭州的朋友魏实甫作监工。魏实甫又增添了冯凝、程欢和蔡蓉3位杭州籍园林叠山师傅分别对"芝园"的4个洞穴进行监工。

在修复芝园假山时，我们调查了苏州拙政园、留园、网狮园，上海豫园，湖州南浔小莲庄等江浙主要的私家园林所叠的假山，发现都与胡氏芝园留存假山的风格有明显差别。由于时间紧迫，我们特请了苏州叠掇石山的高手，分别在正厅后花园和花厅二内叠造和修复假山。而后又请杭州叠造假山高手蒋阿高叠山，对比之下，我们认为杭州人的作品更接近原芝园的风格，所以决定拆掉大部分苏州师傅所造的假山。故居内现在所看到的众多假山，基本上是由蒋阿高师傅主持完成的。《外传》中有关叠造假山的介绍，与现实情况是相吻合的。

《胡雪岩外传》第二回："只见四拐角上真有一只石元宝横嵌在地下，那街道可有四匹马可以并行，中心凸起、两边低下，也像元宝心的形势。街道上全是青石海漫。两面墙脚石砌有一人多高，一片黑墙，打磨得和镜子一般，人在那里走都有影了。仰面看那瓦脊，竟要落帽，可有五、六丈高，气局实是巍峨。当不得轿子快，没看旁的，早已到了门首。见对面开着一座大方井，墙门圈可容得两乘轿子进出。四边石器都雕的极细花样，磨得绢光雪亮。便两扇大门的铰链也是青铜浇造成的花篮环。"

胡雪岩故居坐北朝南，位于元宝街的北侧。元宝街向西直前为中河，西接袁井巷，向东直前是金钗袋巷，东接牛羊司巷。因此，元宝街西头是丁字路口，东头是十字路。作者讲的四拐角应是元宝街的东头的十字路口。据了解情况的人和早年居住在这一带的住户讲，元宝街的两头即东边的十字路口（四拐角）和西边接袁井巷口，在20世纪60年代初，其石板路面上都还有线刻元宝。元宝街西窄东宽，故居大门处宽3.20米，靠袁井巷口宽2.50米，靠牛羊司巷口宽3.75米。因此，从十字路口进元宝街到故居，并列走四匹马问题不大。元宝街中间高，两头低。以故居大门为中心，是元宝街最高处，至袁井巷口落差约1.1米，至牛羊司巷口落差约0.52米，元宝街中间凸起，两边略低，真有点像元宝心的样子。元宝街全部采用严州青石板铺成，这类青石板自明清以来成为杭州传统建筑中使用最广泛的石料，铺地坪、作墙脚、凿台阶、造桥梁和设石栏等均采用这种石料。元宝街铺设的整块青石板，一般长2.25米，宽1米，靠大门作三皮三块大石板直放，其他石板横放，不错缝，不设下水道。有雨水时，利用地面落差向西流入中河，向东从牛羊司巷排出。由于整个街道地面高差不同，因此袁井巷口的故居墙脚石就显得特高，约有1.87米。小说所记"黑墙"应是排版错误，墙面实际粉刷为白色，也不打磨，高约9米余（图143）。大门是黑色的，原用广漆打磨得很亮。该漆打磨

图143　胡雪岩故居外墙

图144　芝园圆洞门

时一般用手掌推磨，光质极好，确实有如镜面。因此笔者分析书稿排版时可能是把围墙、大门处的描写文字弄乱了。另外，在故居门内设有"大方井"，应是"大天井"之误。进内两边墙上的石雕，主要砖雕确实磨得平整，雕得极精。两扇大门的金环铺首，在修复前早已被人取掉，门上留有花篮边的痕迹。

第三回"入芝园初仰来仪，作工程严除弊窦"中，有对园林景象的描写："却说魏实甫跟着管家进去，转入厅后，见迎面居中朝南一个极大墙门，两边备巷，均有小小的两座石库便门，西面又是一座大墙门，望去里面是一带回廊甬道，东面是一座月洞门，上面榜着'芝园'二字，那管家便从这门进去。

魏实甫跟入看时，见进门一道抄手游廊，迎面有一座短短的花墙挡着（注：该花墙沈理源实测图上有明确表示），向花墙角上转出，接一座短

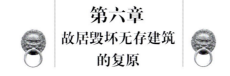

短的石桥，装着碧瓦栏干。两边扑着两株梅树，过桥仅是一座白石露台，上面是一所三开间的四面楼阁，两边缝墙都是太湖石砌成冰纹的。再回头一看，突见一座高楼，飞出云际，原来对面是一座怪石的大假山子，可有五丈多高，再盖上一座三层的高楼，所以突目。"

这回讲到魏实甫进入胡宅，到了轿厅后面，看见朝南正中有座大墙门，也就是这次修复中复原的照厅砖雕门楼。进内是照厅，进入左右开的小石库门门洞便是檐廊，可达正厅。轿厅后的东面又筑一个大墙门（注：作者把东、西方向搞颠倒了），望进去里面正是通向东区的明廊（见图12）。西面是一座月洞门（注：作者误写为东面），月洞门上作砖细，正中嵌有"芝园"的湖石匾额（图144）。在修复时，照厅仅存两侧小门，其石库大门以及明廊均已毁坏。《胡雪岩外传》介绍的大墙门及明廊均与沈理源绘制的平面图相吻合。所谓"芝园"匾额至今尚存。笔者站在轿厅后檐，对照书中所描写的建筑布置，觉得符合实际情况。

第二段讲魏实甫进入芝园的情况，如进门一道抄手游廊，有一座不高短短的花墙挡着。该廊与墙20世纪50代初被拆毁，而沈理源的实测图有明确表示。在廊的中间位置确有一座不长的石桥通向三开间的红木厅与其前方的大露台。露台基座迎水用石块砌有极精制的冰裂纹壁面，考古清理时发现保存较好（见图93），现已修复完整。对面大石山约有5米之高，山上的高楼即是四照阁。从沈理源的实测图和老照片看，此为二层楼，我们曾向长期住过这里的人进行了解，他们也确认是二层楼，看来小说对该楼的层高弄错或是夸大了。

第五回"八万金落成大假山，十六院标题新匾额"的描写："接着是一道夹廊，从大花厅前面石台下六角井边起直接过来（注：天井中的六角

井仍大部分保存。见图94），到墙开了一座洞门，进去都是一所朝南的大三间西洋式的楼厅。天井里的花木扶疏，左首墙角起了一座半圆亭子，装满朱红栅子，里面关着一双金翠孔雀，就是前儿德藩台送的，众人因拟了个'锁春院'的匾额。

回出，从游廊上向东（注：实际是洗秋院东门）进一个小门……进去看时，却也添造了一座半圆亭角，容得一席，补种几株芭蕉，有一对鹤在那里哈喊哈喊的叫。众人因榜那亭叫做'绿梦亭'（注：此亭有老照片），榜尹芝住过的所在叫做'洗秋院'。

出来，仍向那游廊向南走去，却是一带曲曲的花墙，便是洗秋院和绿梦亭的围墙外面，都造了回廊，一直蜿蜒到假山上去（注：考古清理后回廊基础的石构件路面石均在）。半中间高处，悬空的扑出一座亭角，亭外面一座牌楼，仿佛和西湖上'日月光华'的神气，因题了'水木湛华'四个字（注：此水木湛华有老照片）。

再上去，到了山顶第一处，便是一座三间楼阁，靠山口凌空架出一座月台，却用青石亭柱，一直从平地上竖起来，望下去仍有十分危险之势，众人都赞：'好个所在'，因题这台叫做'扑凉台'。题那楼阁叫做'冷香院'（注：扑凉台及冷香院于20世纪70年代后才被拆毁，考古清埋时冷香院的青石板地坪、部分围墙、石雕及柱础尚存，冷香院、扑凉台均有老照片）。

向东进一重月洞门，是一所三开间正厅，四面用石栏围着，望下去正对延碧堂正西，那边的飞楼画阁、碧槛红窗，都隐约在花梢树杪之间，芳菲可爱，众人因题这处叫做'荟锦堂'（注：俗称'四照阁'，有老照片）。"

对"荟锦堂"《胡雪岩外传》是这样描写的："冯凝听说，便忙去开了中间的落地风窗进去，见中间一座云石嵌成大十景橱子，天然凑成的一幅山水。转过橱子后面是一所翻轩，低窗绣槛，精

细极伦，却不见楼梯。众人刚侍问时，冯凝已把那十景橱子横面一块嵌云石的门随手一推，便'呀'的开了现出楼梯。原来这橱子是夹层的，特地为遮藏这楼梯地步。上得楼梯不多步，便是第二层楼，看那楼板却都是用磨砖砌成的，并非木板，四面绕转赶台栏杆，全是用红砖琢出空心花儿的。向赶台上一望，满园的景致，连里面的上房楼院都在目前。认得高而无顶的是座晒台(注：扑凉台)，高顶面圆的是亭子（注：绿梦亭），唯东南一座大楼，飞檐四起，碧瓦盖顶，玻璃五色，层层相映，四面楼栏又与别处不同，却是蔡蓉庄指着那楼道：'那便是当初在下监造的那座百狮楼，是敝东太太住的所在，敝东吩咐须得与寻常迥异，所以想出用一百个紫檀磨成的狮子，用黄金做了眼睛，装做栏杆，便觉光彩四射，华丽莫及。'

下来便从刚才魏实甫指的东首垂花门进去，看是一所横长的精舍，中间落地风扇，两旁却是和合低窗，用紫檀打成葵花结子五色玻璃，并用黄杨木嵌上花结子。那窗臼都是用云铜铸成半个香炉式的，用大螺蛳锁在上面，很觉古媚。那窗槅踢脚却用紫檀独块板，雕空五云捧月的花样，用云石嵌在里面，便觉异样精致。进内看时，中间也不用分间，两边云石砌墙，嵌了两大块金边大镜，可有八尺多阔，五分多厚，是英国的一位钦使送的。两面镜光互相激映，一层一层的也数不出有多少层次。再居中悬着一架十三层的水法塔灯，是日本定造来的，府里共有三十余架，因地方大了，挂着也不留意，此地有了两面镜子映起，便觉好看，况这灯又全是湖色洋瓷描金花的，六角挑起水法龙条，上面擎着灯、下面坠着瓷做的檐铎，风来起来，满园子只听得琳琳琅琅的响着，真便是皇宫后院也赛不过此。众人称赏了一会，便题了个'影怜院'三字。

走出前天井，向循山游廊上走去，魏实甫道：'那里下去，便是园门口出去的岔路了，这山上的楼阁尽在此了。请打后面下去，到各洞品题去。'

于是众人都跟着魏实甫，仍穿过影怜院，打假山洞里走入，便由山坡转弯抹角，直下山去。两边都有栏杆扶手，那栏杆又比别家不同，却是用铁杆子做了中心，用五色彩做了竹节式的，按着用处长短，是烧成的，也不能移截一点，但不要打碎，便经一百年也不会霉烂。

抬头看那山洞，可有三丈多高，二丈多宽，结顶的山石都是奇形怪状、形象百出，有的像狮、象，有的像人物，有的像凤凰，有的像鬼怪，一块块都是凌空扑出，险伶伶要打下来的光景，其实便是五丁去开他，一时也不下来。"

文中所提到的夹廊、天井、锁春院及半圆亭维修前均已拆毁。大花厅指的是洗秋院，即花厅四，该院前左处有一与东侧对称的两个天井，中间都有水井。在考古清理时发现东侧水井尚存，但井圈被毁。西侧也就是文中讲到的那口太湖石六角井，井圈破损。井圈造型与纹饰的雕凿，和大假山下的一口井一样，十分精美的。因此维修时我们把大假山下那口好的井圈移到了花厅四旁的天井。大假山与东侧都用的复制井圈。天井紧接那条夹廊与所谓三开间的西洋式的楼厅，也就是文中提到的锁春院（花厅三）及院内东南墙角的一座半圆亭，这些都与沈理源绘制的实测图相吻合。维修前，在西围墙与花厅四相交的墙顶上还留有那座半圆高顶的绿梦亭的顶部痕迹，修复时，均按照沈理源的平面实测图中的柱网分布作了复原。文中所说的一座三开间西洋式的楼厅值得注意，从沈理源的测绘平面图看，该厅用方形柱子，其中角柱4根，檐柱8根，金柱2根。作前檐廊，落地长窗，后金柱与明间后檐柱之间开设楼梯，基本上是中国传统布局，很难说是一座西洋式楼厅。推测所谓"西洋式"，应

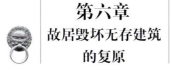

是装修、家具和陈设上采取欧洲风格。此处在修复时由于工期十分紧迫，暂未能考证确定，故未做欧式装修和订做相关家具、陈设。

按照《胡雪岩外传》描写，从锁春院（花厅三）口出来向西进一个小门（文中说成是向东）就是花厅四，该建筑坐北朝南，南北面均设门窗与天井。该院的东面山墙上开前后两个小石库门。文中讲到的西进小门，也就是花厅四东山墙前部的小石库门（图145）。在花厅四前小天井的西侧，紧靠西围墙有一座半圆亭，该亭在70年代中期被拆除，修复前亭顶的高度在墙上有明显的痕迹，这段描写与沈理源的测绘图完全吻合。半圆亭，我们修复时按通常每柱出一角的翘角攒尖顶的形式，后来从北京征集到该亭的照片，得知顶部并非如此，而正像《胡雪岩外传》所说的是圆亭即圆锥攒尖顶。按照尽可能符合历史原状的原则，我们立即返工恢复了原貌。

文中所说又从"洗秋院"（花厅四）出来，见到即是一带曲曲的花墙。该墙在沈理源的平面图中也有所表示，包括文中讲到的回廊。该回廊的部分建在水面上，与西面围墙上的檐廊相连接，并通过水木湛华，然后采用斜廊的形式，通向西侧大假山。凭考古清理筑在池中的一段基础只能证明此处有桥，很难断定桥上有廊。由于有了《外传》的记载，才使我们明确该基础实际是一座廊桥的遗存，也就是说，它原是一道水上的回廊。考古清理发现回廊及水木湛华基础基本都保存完整。遗迹材料和沈理

源实测图与《胡雪岩外传》相对照均吻合。

关于水木湛华这处建筑，仅存遗迹和实测平面图，复原依据不够充分。采访见到过原建筑的人，因对建筑不在行，也很难准确说出其结构与式样。虽然《胡雪岩外传》描写得比较准确，但我们仍然无法想像类似牌坊的具体造型。因此，我们只是按当时芝园住户的回忆，根据平面图的柱网分布建造了一座进深很小的二层小楼（二楼无需登临）。后来征集到的1960年拍摄的水木湛华照片，这才清楚《胡雪岩外传》描写的水木湛华确实是座牌坊式建筑。2002年初，我们立即对其进行拆改，按照老照片真实地复原了水木湛华。

至于《外传》中提到的"扑凉台"，据住在芝园多年的原杭州市话剧团方平回忆是有一座很高的石阳台，虽然在沈理源的实测平面图上有明确表示，但图纸上只有方柱位置，无法据以知道上部阳台的结构情况，很难复原，当时暂作存疑处理。也是由于获得了扑凉台的老照片，才于2001年11月复原补建起来。建成后，登上此台真有些惊险之感，在上眺望芝园确有小说所描写的感受。

《胡雪岩外传》中提到山顶上第一座三间楼阁，称之为"冷香院"。从沈理源实测平面图看却是四间楼阁。修复时该建筑遗迹保存完整，建筑宽度与长度，按实测比例换算完全一致。因此，以测图为准，修复成

图145　花厅四小石库门

四开间。修复时还没有得到老照片，建成后对照老照片分析，现建筑高度似嫌不够，并缺腰檐。照片反映，西南角原有可上二楼的楼梯。此楼阁因返工量太大，耗资也多，留待以后再作改进。

对假山顶上正中的主体建筑四照阁，复建时几个方面的资料都比较齐全。《胡雪岩外传》描写得十分详细；考古清理其青石基础、阶条石均完好保留；征集到一张立面照片（见图126）；还有沈理源实测平面图。现建筑即是按这些资料修造复原的。但进一步研究老照片，认为这座建筑的高度还有改进的余地。关于《胡雪岩外传》中描写的四照阁的装修情况，我们也从见到过的人那里得到了证实，本可以作出复原，但当时考虑到工期及经费问题，而没有在室内装修上作全部的复原。这也需待以后有条件时一并解决。

在《外传》中，我们注意到对故居建筑的描写，多次多处提到蓝色为主的五色玻璃，在修复调查中，我们也发现了遗存的彩色玻璃，所以在故居建筑的修复中，作了以蓝色为主的门窗玻璃设计。

《外传》中提到东南的百狮楼，正是沈理源实测图上的"正厅"。这处建筑虽面阔只有五间，但是胡宅内最宽敞、最高大的一幢建筑。该楼在20世纪50年代初，已被拆毁。复原再现的百狮楼，显示了胡府这一豪门正厅的风貌。

《外传》中："下来便从刚才魏实甫指的东首垂花门进去，看是所横长的精舍……。"这里指的是，从四照阁下楼后，向东面的门洞进去便是影怜院。沈理源的实测平面图中确实表示，在影怜院靠四照阁的山墙处有一围墙，并开有门洞。影怜院在20世纪50年代已被拆毁，修复时假山上该建筑痕迹尚在。在影怜院前后天井下面，还发现一些基本霉烂的铜皮制造的排水管一直通向假山的山墙边。胡雪岩故居内使用排水管道，

仅在大假山上，其余均作窨井。最大的窨井直径有1.5×1.5米左右。故居因比室外地坪高出1米以上，这些堆土仅是建筑瓦砾，土质松轻，下水顺畅，所以故居内不设下水道。

影怜院是幢四开间的建筑，从沈理源的实测图上看，确实如文中所说的每间不分隔，为一个长方形的大间，中间是落地风扇，两旁却是和合低窗，都与沈理源实测图一致。我们均按此形式装修复原。

关于文中所说的窗臼（注：梗臼）都是用半个云铜铸成，半个香炉式的。由于影怜院被毁，已不再可能找到依据，但在修复花厅四时，在二楼南面落地窗上端发现安装有与新、老七间等建筑不同的原梗臼的痕迹。这种梗臼像变了形的如意纹。我们即去杭州胡庆余堂内调查，发现有一种梗臼，凡窗上端采用变形如意梗臼，窗下端就用黄铜铸成半个香炉形式的构件，在香炉式构件两侧均用铜质木螺蛳紧固。《胡雪岩外传》讲叙的梗臼，就是胡庆余堂内门窗上用的这类形式。因此，在复原影怜院门窗梗臼时，我们完全是按照胡庆余堂这类香炉形式复制的。

这次修复在影怜院复原了小说中所说的东西两侧山墙壁上嵌镶的两块大方镜子。至于当年悬挂的日本进口的13层蓝瓷描金的水法塔灯，限于工期和资金，只购置了4架现代仿欧式的流苏吊灯，每间安装一架。当打开这些吊灯时，映照在两面通壁的大镜里，真是"一层一层的也数不出有多少层次"，实在美丽之极。这类装修形式，在欧洲的王宫和贵族府邸，包括土耳其的奥斯曼皇宫内，都大量采用。胡雪岩当时从事国际贸易，多与欧洲官员、商人交往，羡慕欧洲独特的装饰情调，因此在府内效仿装潢，所谓"西洋式的楼厅"以及西洋大玻璃镜和水法灯、彩色玻璃等欧式装修都反映了在晚清时期洋务思潮的冲击下，买办巨贾在物质与精神上的追求。

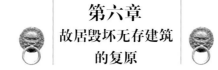
另外，《外传》还讲到五色彩瓷栏杆。这种栏杆残构，在考古清理中有二处发现，一是连接芝园东长廊和红木厅露台的小桥与露台相接处的台阶边；另一处是，西四面厅与水池小桥相交处的台阶边。这两处均是在宜兴烧制的五彩上釉竹节陶瓷栏杆外罩，里面包着方钢扶手，其色彩为枣红、橘红、银灰、蓝和绿五色。以上两处都复原了内方钢、外套釉陶瓷竹节形式的扶手栏杆。由于烧制技术的问题，在宜兴只烧成了蓝色一种。现我们又在别处试烧，待烧制成功，这两处将全部换成五彩栏杆。

胡雪岩故居内的假山石瘦、漏、皱、透俱备，在杭州有很大名气，所以从60年代初开始，尤其是"文化大革命"期间，凡是公园、宾馆或有特殊任务的单位需要，都到故居内来取假山石。如今我们只能在老照片上见到《胡雪岩外传》中形容的"山石都是奇形怪状、形象百出，有的像狮、象，有的像人物，有的像凤凰，有的像鬼怪"的情形。

第六回"造镜槛艳夺乌铜屏，缠莲钩春在红芸院"，对芝园大水池中的折桥是这样描写的：

"……一面走着，一面看那座石桥是盖在水面的，两边都不用扶栏，曲曲折折的通入洞去……"

接着文中又说："程欢慢慢地走到背后，笑问道：'你俩个在这里做什么？'瑞儿回头见是程欢，因指着池子里道：'你瞧，这池子底里怎么会和镜子一般，晶汪汪的？那金鱼儿游着不好顽吗？'程欢道：'这池子本来盛不满水，前儿你老爷吩咐下来，是魏师爷想这法子，用点铜做了底，所以才贮得这样满的水。'"

在考古清理中，发现芝园除大部分桥上面板遗失外，折桥桥墩、横梁和部分大梁都在。折桥在池内的桥墩还都固定在原来的位置上，为维修测绘带来了方便。从文中看，折桥不设栏杆，沈理源的实测图中大池上的折桥也无栏杆表示，《胡雪岩外传》的描述与沈图是吻合的。而60年代初拍摄的照片反映出桥上望柱与转角处已有榫卯，说明折桥已有了栏杆。

修复胡氏故居的基本原则是，按照胡雪岩发达时期府邸的情况修复，1920年沈理源的实测图基本反映了当时的实况，因此我们复原折桥是不设栏杆的。但是修复竣工开放后不多日，参观人员多有掉进水池的情况，这引起我们的思考。当时的芝园作为私人园林，只供胡雪岩一家少数人游玩使用，而现在对外开放成了公园，旅游旺季游人更多，折桥只有1米多宽，人多拥挤，一不小心就会掉进大池里。为了安全起见，最近增设了石栏杆。

只阅读《胡雪岩外传》的描写，原认为大水池池底采用铜皮垫底是一种文学夸张之词，无可凭信。当考古发掘大池时，我们才知道小说描写的确是事实。

水池的西面池壁底边，发现残长220厘米，残宽16厘米的铜皮。铜皮厚约1.5厘米，呈灰色，池壁边约5厘米处用枭浆石灰压着。此池床不作锅底状，而铺厚40厘米左右的灰黄土，池底呈平面，铜皮紧贴池底。这种用铜皮铺设在池底的防渗漏的做法，处理得好可能是有效的，但在当时的技术条件下，铜与池壁石材的衔接是难以弥合的。即使可以防止渗漏，这种做法也是不惜代价、不计成本，这又一次表明了胡雪岩这位百万富翁的挥霍豪奢。

胡雪岩故居内共有大小7个水池，其中6个水池的底面（即池床）都铺绍兴东湖石板。石板规格一般都是1.2×0.7米，有的池子铺2~3层石板，制作十分讲究，仅大池池底采用黄泥土铺垫。7个水池的池壁做法均相同，全部用湖石假山砌叠驳坎，用枭浆石灰粘接。这类粘结材料在杭州从宋代开始就采用了，枭浆石灰防水和粘结

图146　轿厅东廊石库门

图147　通向明廊的石库门

性能比较好，是营造园林、建筑和墓葬等常用的一种建筑粘结材料。故居内7个水池，池底、池壁都用枭浆石灰嵌缝、砌叠，但这种材料总是不能很有效地防止水的流失。特别是故居地势比当今已增高的城市地面还高出1米多，水池深1.3米，也就是池底离城市地面仅几十厘米，所以要想长久盛得住这些高于地面的池水，当时的技术和材料是很不容易做到的。《胡雪岩外传》作者说盛不满水是符合实际情况的。

第六回中有讲："程欢连连点首，见背后有人走来，三人便自分手。瑞儿和双子两个，便一溜烟向延碧堂石台上跑过，出园门，一直对冲，向北便门里跑进去，大厨房里喊了摆席，一面叫双子去外面吩咐管家们伺候开饭，自己却整整帽子、抖抖短衣，向园门对冲那朝西的墙门里走进，是一带左右坐廊的通道。"

这段是说，瑞儿和双子两个，一溜烟向延碧堂（即红木厅）的石台上跑过，出芝园月洞门，一直对冲（"对冲"是地道杭州话，意思是对着前方跑到底）跑到东区明廊石库门前再从照厅东侧小石库门进去（图146），沿着檐廊不到正厅，靠东侧是大厨房，喊了摆席，自己又走进芝园月洞门对冲朝西的墙门里。朝西墙门即东面居住区明廊的石库门（图147）。坐廊甬道，却是指那条"明廊"。明廊的檐柱两端作靠背栏杆。《胡雪岩外传》对建筑方位的如实交待，对修复考证工作具有重要的参考价值。

第八回"德律风传儿女话，　侵晨雪请高堂安"中有关记载德律风一段话是这样讲的：

"过了几日，因这楼上再没有岔路可以抄近走的，譬如要到梦香楼去，却定要走过软尘楼，要到霁月楼又定要走过梦香楼，自己虽是雨露均匀的，无奈这些女儿家总免不了一些醋意。因想了几日，又想出个好法子，仿那洋人的法子，用一座大德律风摆在正院楼上，却用十三枝电线通向各房，那便只要自己认定德律风的门子，该给哪房知道，便对那一个风门讲一句；该唤她来，她自己便来，或唤她在哪一座楼上等他，便知道了到哪座楼上去。定了主意便立刻专人去请外国人打样，着洋匠做去。果然是有钱的好处，不上一个月，竟已置备妥当，便向各楼通了电线，试验之下，实是灵便，不但可以传话过去，并且可以传回话转来。谁的声音，竟是谁的声音，也不曾变了一点儿。"

关于德律风的问题，在维修调查中发现老七间的楼上、楼下和下房内有铜管及与铜管有联系的铜丝构件残存，完全证明了宅内确存在通话设施。今后我们要对此作专题研究，力求予以复原。

《胡雪岩外传》的作者虽然对建筑不在行，但对建筑的描述是十分认真的，总能把一些建筑、装修、设备以及园林的情况描绘出来。将作者对故居建筑的描绘，与考古清理的遗址和沈理源测绘的平面图相对照，不仅条理清楚，还基本正确。因此，尽管《胡雪岩外传》是部小说体的传记，但它对故居建筑的描述具有纪实性，即使存在少许失实之处，也是可以理解的，只要其内容经校订是符合实际的，我们就可以参考和采纳。

《胡雪岩外传》虽是在胡雪岩去世18年后发表的，但那时胡氏儿女及一些姨太太都还在世，胡氏故居还完整地保留在那里，作者的叙述必定是有依据的。《胡雪岩外传》叙述的建筑与沈理源实测图可互相印证，很好地补充了沈图的不足，使我们得以了解了图上仅以代号命名的各处建筑的名称。

胡雪岩故居现存建筑中有很多原用以悬挂匾额的铁钩或有关的痕迹，这说明故居原用匾额非常丰富。在70年代，杭州市话剧团的老同志们在芝园内还看到有左宗棠书写的匾联。因此《胡雪岩外传》中提到的建筑用名这次我们大多都用上了。如四座花厅修复时，仅存一座"洗秋院"（花厅四），《胡雪岩外传》对沈图中的"花厅三"称为"锁春院"，这似乎表明还有用冬与夏命名的建筑。还有"正厅"、"影怜院"、"四照阁"、"冷香院"、"水木湛华"和"红木厅"等都以该书为依据做了匾额。

对《胡雪岩外传》的内容我们是经过分析、考证的，决不会盲目去接受。如通过对多方资料的研究，我们发现了该书有方位弄错，建筑开间写错等现象。总的来讲，作者写作时是作过一番调查的，如水池底的铜皮，当时先进的通话设施，建筑布局，铁心陶瓷栏杆，有关大、小厨房的描写，完全是真实的。应该说《胡雪岩外传》对故居的修复起到了重要的作用。

五、故居历史的见证人

我们杭州市文物保护管理所接受修复胡雪岩故居之初，除掌握一张1920年沈理源工程师主持测绘的胡雪岩故居平面图外，其他相关资料非常缺乏。为此，我们先行分工开展调查，有人跑北京、上海等地专门征集有关胡雪岩故居的设计图纸和调查当时的设计人；有人查找相关文字资料；有人负责征集胡家用过的家具、宫灯、书籍及故居老照片。凡是对故居修复有价值的物件，均不惜高价收购。与此同时，我们还千方百计地寻找故居的知情人。

我们找到众多的故居毁坏前的目击者，他们提供了许多极有价值的证据，尤其是蒋贤伦、周才里、董杰、方平、乐国清、余小平、俞汉琴、丁士粼、姚佩珍、周学明、赵雪芳、朱振亚、陈云祥、单崇安、黄秋潮、林炜彤、孙克武、张焕明、皇甫淳俊、程飞骏以及原杭州市青年中学副校长池国衍等，对故居的修复作出了重要的贡献。

在数十次的调查座谈会中，我们请他们书写回忆材料、画示意图，甚至带领工作人员到故居现场讲解原状情况，进行印证勘察，他们对故居

图148 四照阁示意图

图149 胡庆余堂大门

图150 "进内交易" 镏金大字

图151 胡庆余堂廊子壁面牌匾

图152　胡庆余堂的营业大厅

的修复表现出极大的支持与热情。如原杭州话剧团演员方平老先生曾多次写信谈他的回忆，在我们还没有拿到《胡雪岩外传》时，是他回忆起大假山边上有一座高高的"扑凉台"的，他还亲自专心地画了一张"芝园示意图"送给我们。解放前后曾在胡雪岩故居里工作、学习、生活过的人们，一般都对故居有深刻的记忆。对于故居的中、东、西三个区域，大都能准确回忆起当时的情况，例如哪里是亭子、哪里是楼阁、哪里又是池塘或园林假山等等，这些与沈理源实测平面图基本一致。有的目击者由于自身具备的文化素质和专业条件的原因，回忆的故居环境相对就更为具体，其参考价值也就更大。如原杭州市话剧团舞台美术设计师董杰先生，他凭自己的回忆绘出了四照阁的草图（图148），形象真

实地反映出四照阁一层与二层的比例关系，的确很有价值。

总之，科学修复胡雪岩故居，离不开这些热情的杭州市民，特别是这些知情者们为我们的成功修复提供了有价值的历史信息，我们要感谢他们对保护祖国文化遗产和建设杭州历史文化名城所作出的贡献！

六、现存与故居同期的建筑
一胡庆余堂

胡庆余堂国药号，同治十三年（1874年）筹建，光绪四年春（1878年）大井巷店屋与厂房落成，并正式对外营业，可以说药店与故居是一体工程。

胡庆余堂国药号地处杭州城隍山麓大井巷西

端。这里交通便利，在大井巷有蹬道可上城隍山，是当年赶庙会朝山的必由之路。这一带是杭州历史上最繁华的商业中心。

胡庆余堂的设计主要围绕药业经营的主题，尽管胡庆余堂是开药店及加工厂，但富丽堂皇的营业部却属少有。胡庆余堂的崇高信誉主要源于它"戒欺"与"真不二价"的经商道德和产品质量，但也和它的店铺建筑规格之高是分不开的。这犹如现代银行投资，以很大比例用于提高固定资本——建筑的水准，即用高贵的门面取得客户的信任。胡雪岩建造的胡庆余堂也确实起到了一定的招徕顾客的效果。

胡庆余堂国药号坐西朝东，现存三进。药店大门不设在建筑的中轴线上，而是按照风水偏向左（北）边，是座和故居一样的杭式石库门，门额上方嵌有颇大的"庆余堂"匾额（图149）。整个墙面全部砖细装饰，墙顶用砖雕，使人感到古朴庄重。石库大门的两扇木门用黑色中国生漆油刷，并镶铜质门环一对。门内筑有砖质门楼，这种在石库门洞内背面砌砖质门楼的做法是杭州明清时期常见的。其槛、枋、字碑、兜肚及荷花头与《营造法原》附图吻合⑳。门楣上有精美的梅兰竹菊、拐子龙、人物故事及福寿等吉庆图案。字碑处正楷题"是乃仁术"四字。走进大门，即是

图153　胡庆余堂正厅梁架

一座不大的门厅，厅正中端放"进内交易"镏金大字牌（图150）。向左拐，是南向长廊，廊子的外侧两檐柱之间均设"美人靠"，可供顾客与参观者小憩。廊子的壁面上，挂有30多块刻着各种药名黑底金字的牌匾，全用银杏木精制而成（图151）。沿廊子是一条狭长的天井。第一进建筑的西边是第二进建筑，在这两进建筑之间，隔着一条长长的通道，当地称之为"长生弄"，两边筑有8米余高的封火墙。这里空间不大，但有几块叠石、几株花木显得很有趣味。

第一进建筑分前后两院，前院为营业大厅，后院是会客处及账房。营业大厅前设天井，厅内不仅宽敞明亮，而且装饰雕刻十分精细，使人觉得富丽堂皇（图152）。正厅面阔三间，楼下建筑构件雕刻精美，二楼梁架十分简朴，体现出杭州地方建筑的风格（图153）。底层明间前金柱间的额枋上挂"真不二价"匾，后金柱间设屏壁，屏前摆设清式红木条案、透雕回纹嵌云石靠椅，上挂"庆余堂"匾额。屏壁背面挂"戒欺"匾，屏壁两侧围设柜台，靠壁面均为放各种药材的壁柜抽屉（俗称：百眼橱），橱上搁置锡制药罐等（图154）。在屏壁两侧筑通道，入内为后厅，厅的前端有天井。

后厅面阔三间，明间接待商客用，东次间为信房，西次间为账房（图155）。后厅西拐即是夹道与第二进相接处，南端的月洞门可通外界，夹道的中间设直跑扶梯，可通一、二进建筑的楼上。

二进为药材加工作坊，建筑均为五开间重檐，四面环接，底层设回廊相通。三进原是药材库房，空间狭窄，为二层建筑，是近年所建。

图154 胡庆余堂百眼橱

图155 胡庆余堂后厅隔扇窗、方柱

图156　胡庆余堂正脊及小照壁

胡庆余堂现存屋面采用蝴蝶瓦（阴阳合瓦），正脊保留了杭州传统的"小照壁"做法。在杭州明代建筑岳官巷吴宅、新华路的茅宅及明末清初的陈宅，它们的正脊上都有升起的实例，屋脊均为实砌做法。胡庆余堂建筑正脊两头起翘，并且镂空（图156）。这种正脊在杭州明清时期建筑及老房屋上从未见过，而在今杭州市萧山区（原为萧山市）老建筑及农村新建房屋上，不少都用这种镂空正脊。经调查，胡庆余堂建筑的正脊是采用水泥预制，应是后来改动的。

胡庆余堂是在胡雪岩事业鼎盛时创建和发展起来的，是和胡雪岩故居同时的建筑物，因此两者之间具有共同特性，在一定程度上是可以互相借鉴的。

胡庆余堂药房与胡氏故居一样，大门不开在中轴线上，而开在正门墙面一侧，胡庆余堂虽然是座药店，却采取了同住宅一样的巽位入口的风水布置。

胡庆余堂与故居一样，采用高级材料、高级工艺建造，正因为故居和胡庆余堂建筑规格的接近，它保存的不少东西为我们今天修复胡氏故居提供了直接的参考材料。

笔者认为胡庆余堂虽与故居同一时期建造，不少建筑构件如梁架、雕刻、美人靠、亭子、天井和举折以及铜合页、插销和门环等，都可以为胡雪岩故居的修复提供参考。但不能忽略的是，由于故居与胡庆余堂功能性质的区别，修复中对胡庆余堂建筑的参考，还是要谨慎地有分析、有选择地引用，不可盲目地照搬。

㉑《营造法原》姚承祖原著，张至刚增编。中国建筑工业出版社，1986年8月。

第二节 毁坏无存建筑的复原
Section 2 Restoration of Demolished Parts

胡雪岩故居的复原建筑设计方案，由杭州市文物保护管理所委托浙江省古建筑设计研究院完成的主要有：正厅、厨房一、下房一、东四面厅、东四面厅爬坡廊、西四面厅、藏春亭、明廊、鸳鸯厅、故居东墙爬坡廊（亭）、花厅一和花厅二。

杭州市文物保护管理所负责完成的复原设计方案主要有：楠木厅、暗弄、芝园的山水花木等景观、水榭、红木厅、水木湛华、影怜院、四照阁、冷香院、绿梦亭、花厅三、芝园东西长廊和桥亭。后来，市文保所又根据1954年老照片，复原了后花园的"真山水"石阳台和芝园的扑凉台等。

胡雪岩故居复原建筑主要设计图纸如下：

一、胡雪岩总平面图（见图3）；

二、正厅（图157）；

三、东西四面厅（图158）；

四、藏春亭（图159）；

五、东四面厅爬坡廊（图160）；

六、下房二（图161）；

七、花厅一（图162）；

八、花厅二（图163）；

九、故居东墙爬坡廊（图164）；

十、鸳鸯厅（图165）；

十一、楠木厅（图166）；

十二、水榭（图167）；

十三、红木厅（图168）；

十四、厨房一（图169）；

十五、影怜院（图170）；

十六、四照阁（图171）；

十七、冷香院（图172）；

十八、芝园桥亭（图173）；

十九、芝园东长廊（图174）；

二十、芝园西长廊（图175）；

二十一、花厅三（图176）。

二、正厅（图157：1—4）

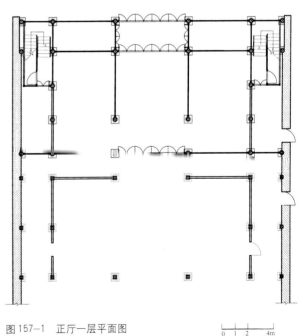

图157-1　正厅一层平面图

0　1　2　　4m

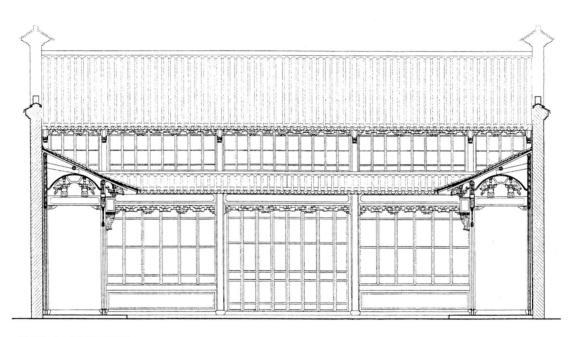

图157-2 正厅正立面图

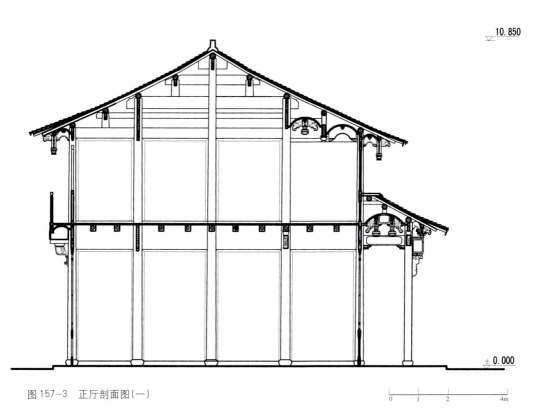

图 157-3　正厅剖面图（一）

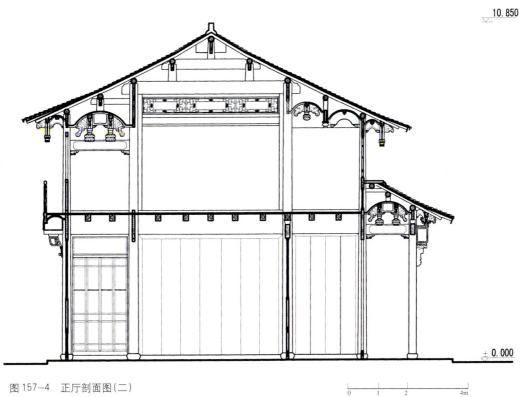

图 157-4　正厅剖面图（二）

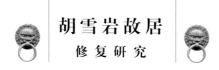

三、东、西四面厅（图158:1-4）

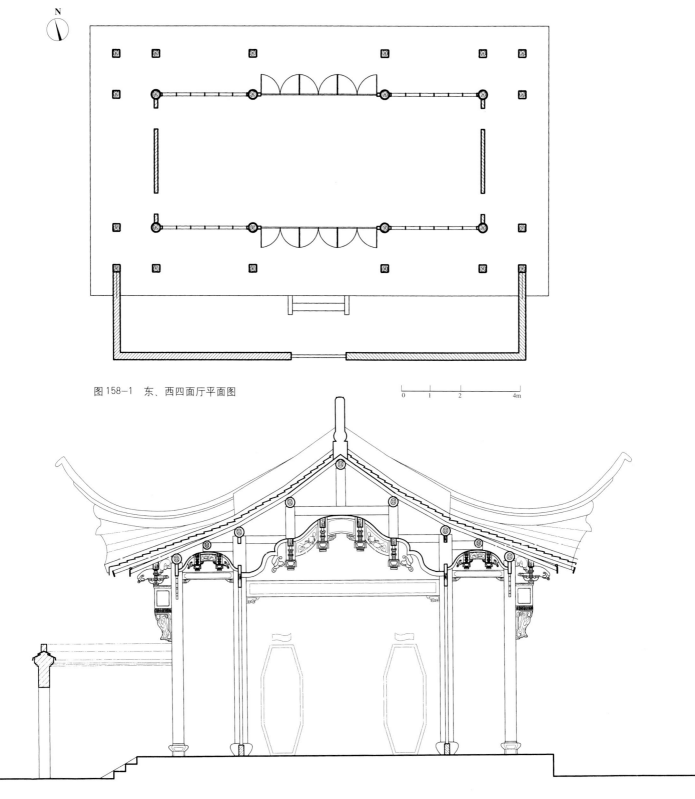

图158-1 东、西四面厅平面图

0 1 2 4m

图158-2 四面厅明间剖面图

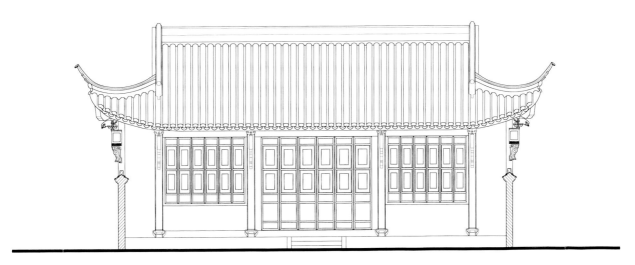

图 158-3　东、西四面厅立面图

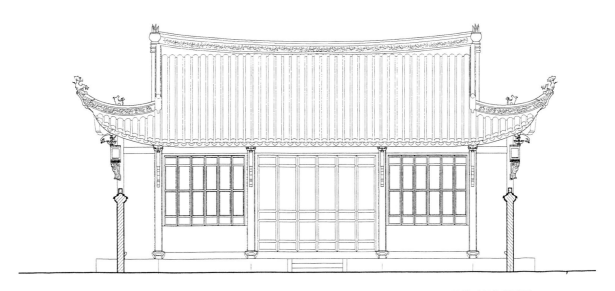

图 158-4　东、西四面厅立面原徽派风格设计图

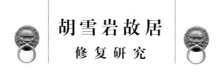
四、藏春亭（图159：1—4）

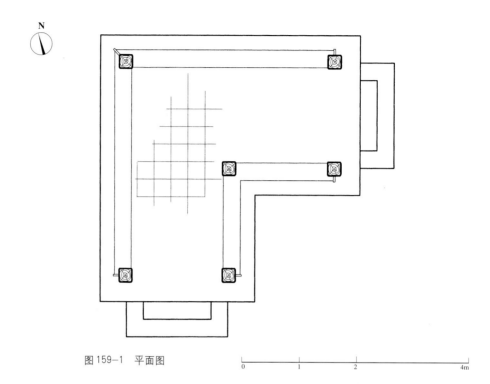

图159-1　平面图

0　　　　1　　　　2　　　　4m

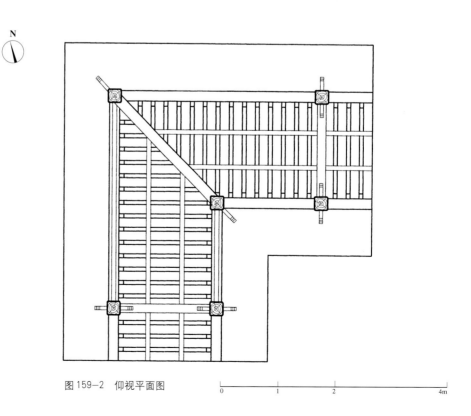

图159-2　仰视平面图

0　　　　1　　　　2　　　　4m

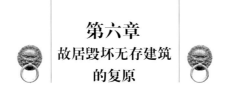

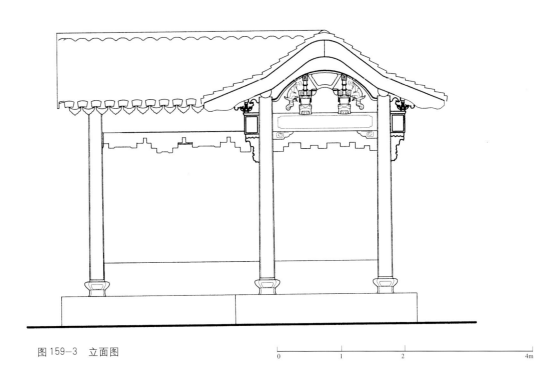

图 159-3　立面图

$\begin{array}{ccccc}0 & 1 & 2 & & 4m\end{array}$

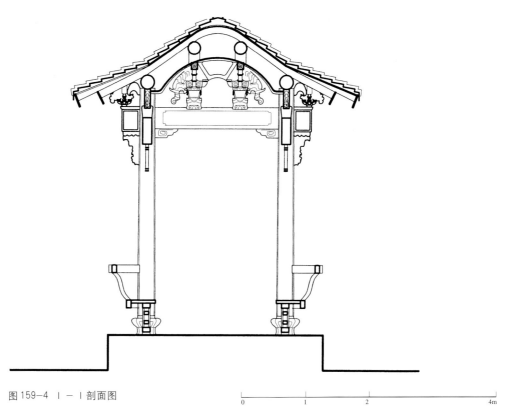

图 159-4　Ⅰ－Ⅰ剖面图

$\begin{array}{ccccc}0 & 1 & 2 & & 4m\end{array}$

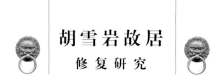

五、东四面厅爬坡廊（图160:1-4）

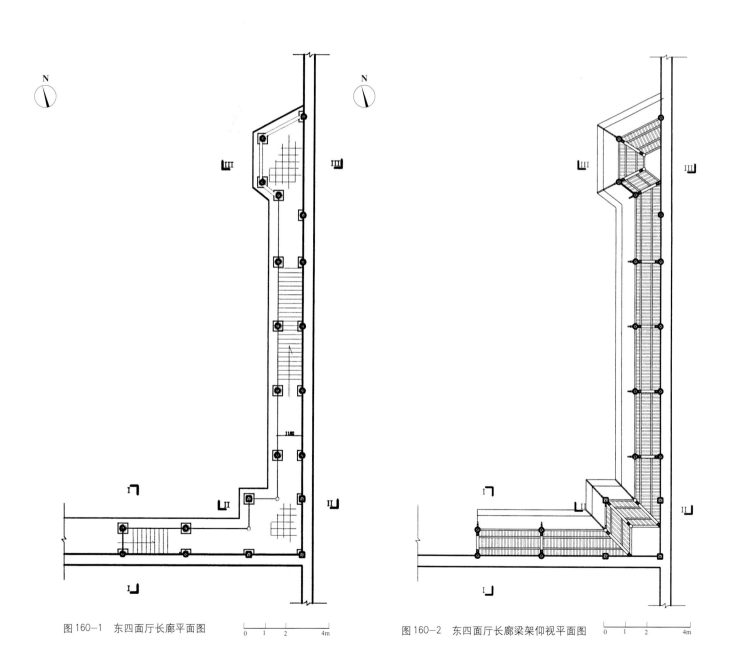

图160-1 东四面厅长廊平面图　　　　　　　　　　　　　图160-2 东四面厅长廊梁架仰视平面图

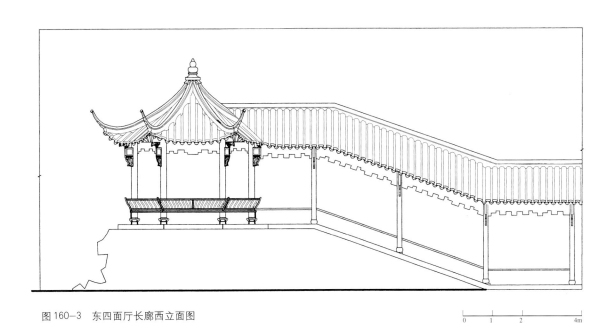

图160-3 东四面厅长廊西立面图

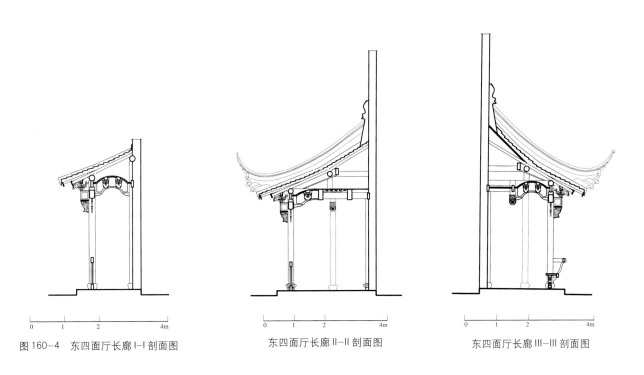

图160-4 东四面厅长廊I—I剖面图　　　东四面厅长廊II—II剖面图　　　东四面厅长廊III—III剖面图

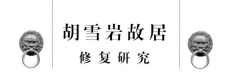
六、下房二（图161：1—4）

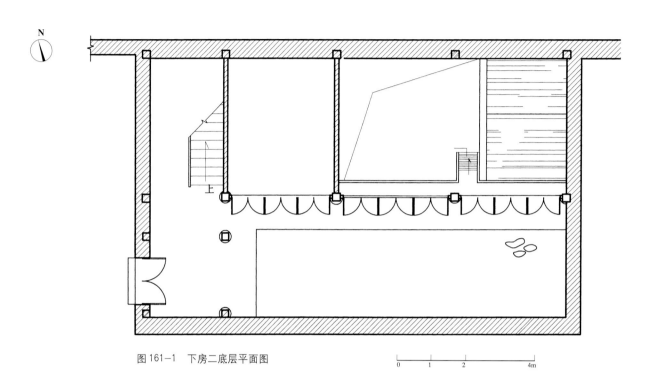

图161—1　下房二底层平面图

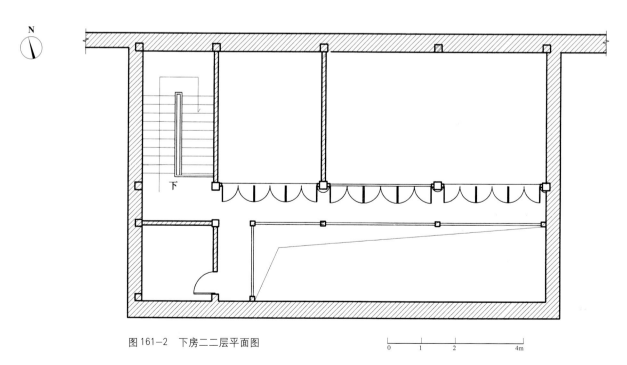

图161—2　下房二二层平面图

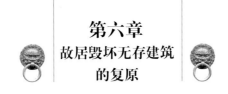
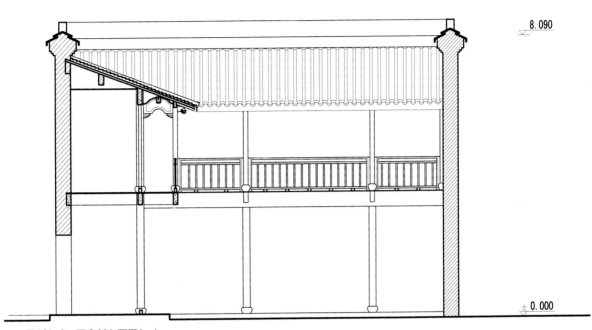

图161-3 下房剖立面图(一)

图161-4 下房剖立面图(二)

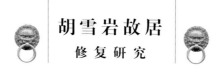

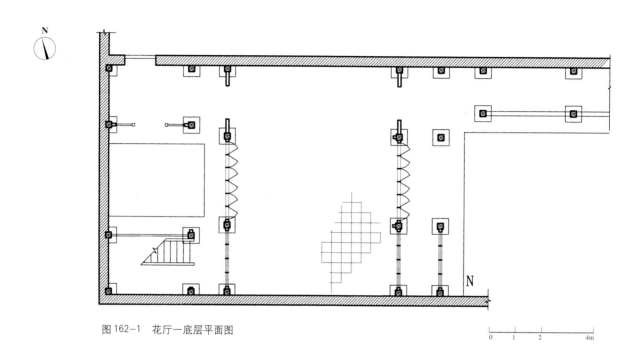

七、花厅一（图162：1—5）

图162-1　花厅一底层平面图

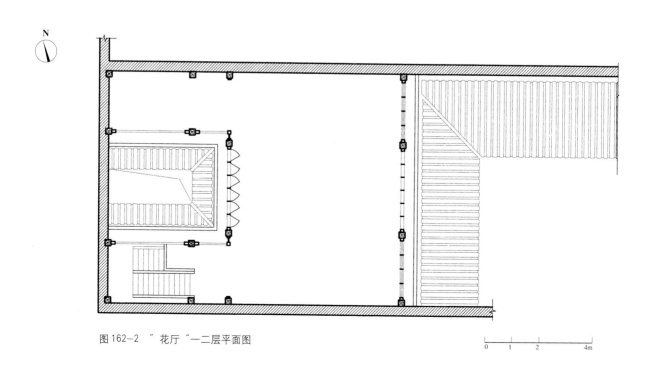

图162-2　"花厅"一二层平面图

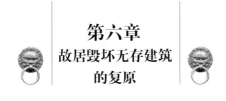

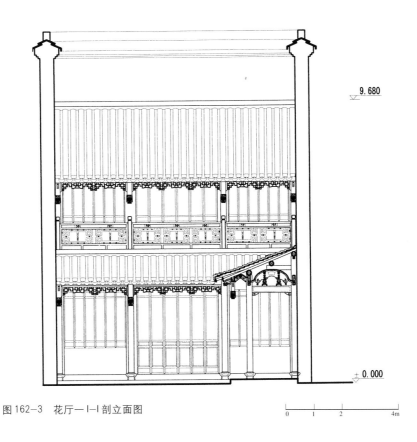

9.680

±0.000

图162-3 花厅—I-I剖立面图

0 1 2 4m

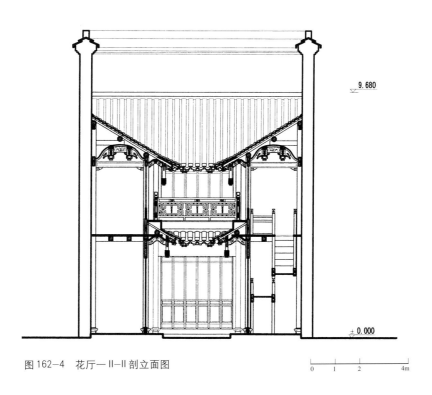

9.680

±0.000

图162-4 花厅—II-II剖立面图

0 1 2 4m

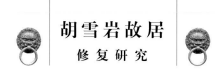

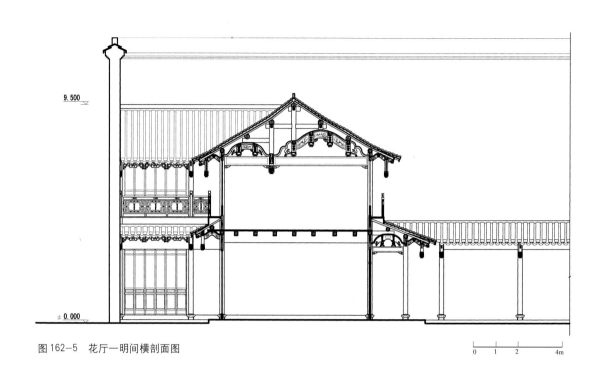

图 162-5 花厅一明间横剖面图

0 1 2 4m

八、花厅二（图 163:1-4）

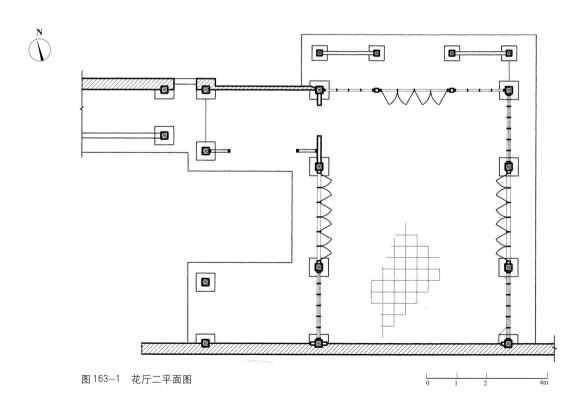

图 163-1 花厅二平面图

0 1 2 4m

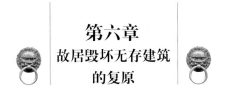

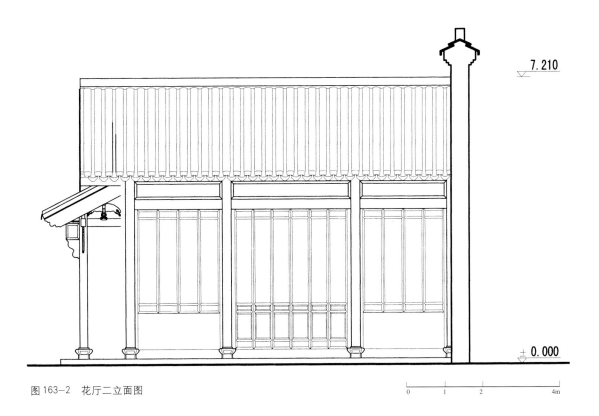

图 163-2　花厅二立面图

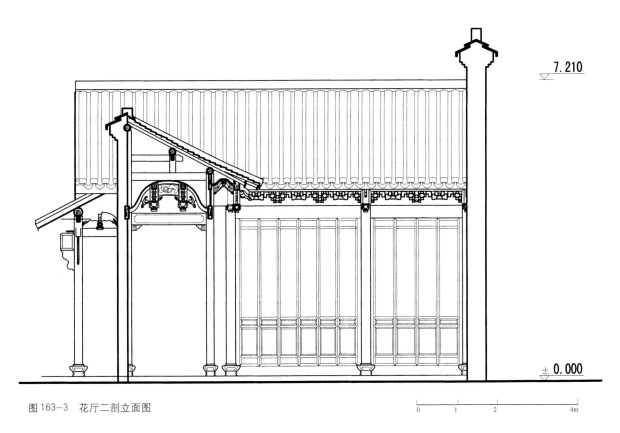

图 163-3　花厅二剖立面图

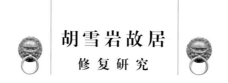
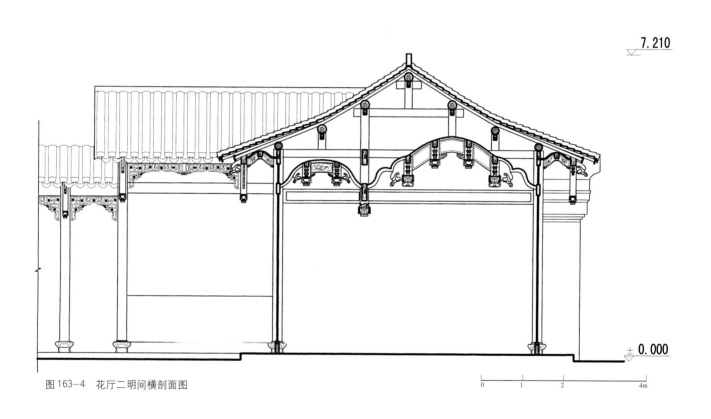

7.210

±0.000

图163-4 花厅二明间横剖面图

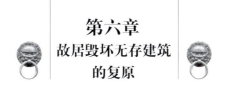
九、故居东墙爬坡廊（图 164：1—2）

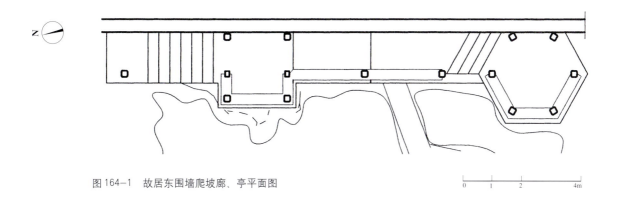

图 164-1　故居东围墙爬坡廊、亭平面图

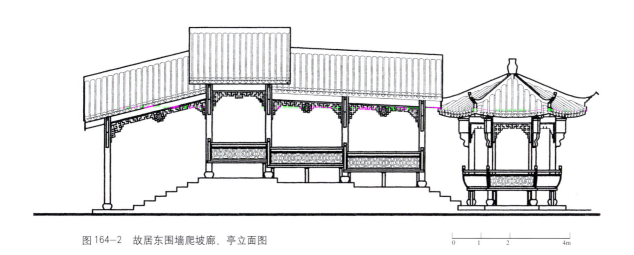

图 164-2　故居东围墙爬坡廊、亭立面图

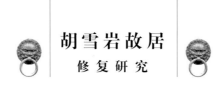
十、鸳鸯厅（图165：1—3）

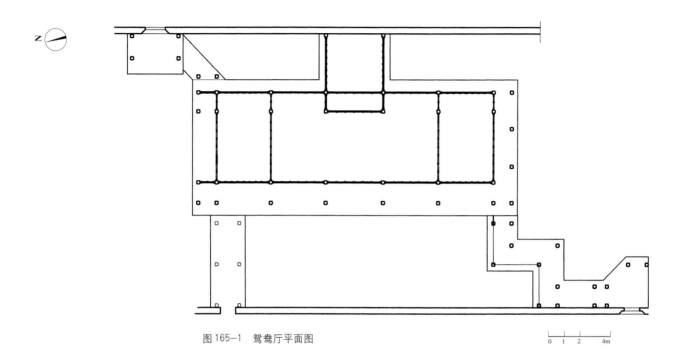

图165-1　鸳鸯厅平面图

0　1　2　　4m

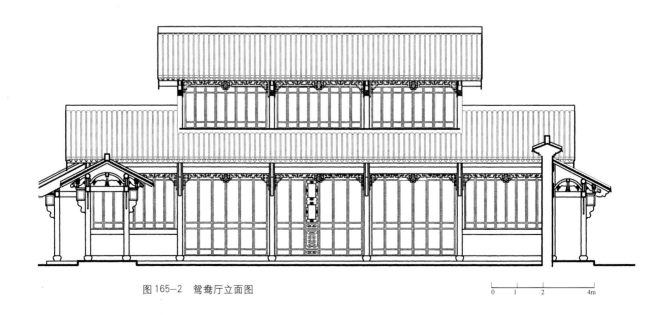

图165-2　鸳鸯厅立面图

0　1　2　　4m

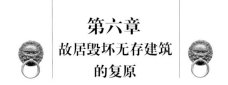

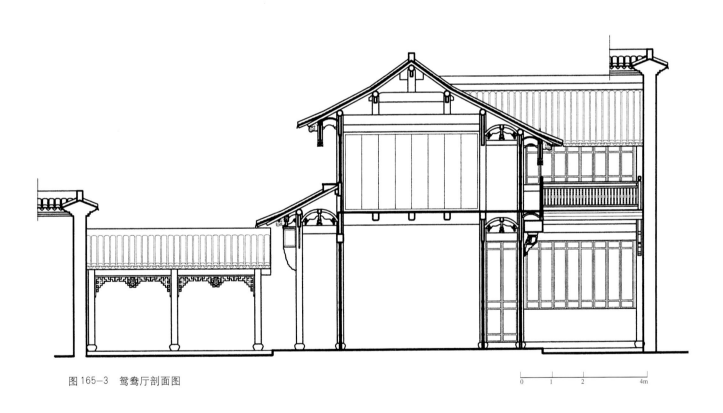

图 165-3　鸳鸯厅剖面图

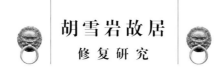

十一、楠木厅（图166:1—5）

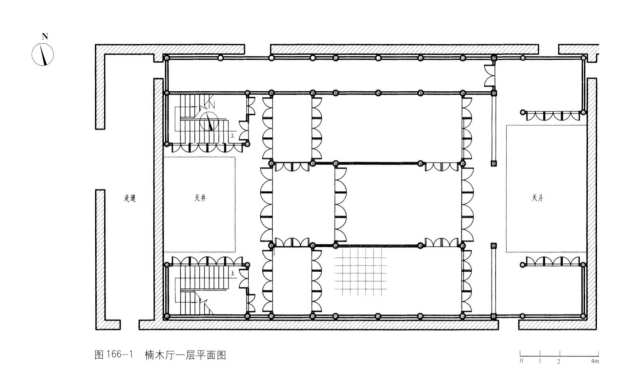

图166—1　楠木厅一层平面图

0 1 2 4m

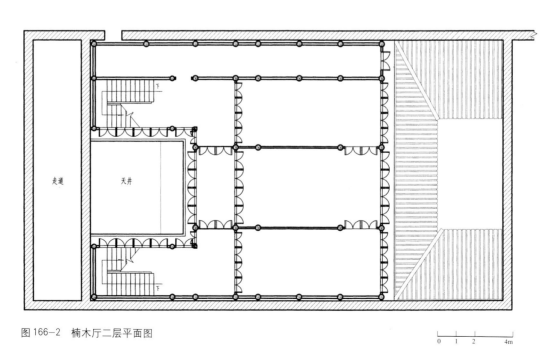

图166—2　楠木厅二层平面图

0 1 2 4m

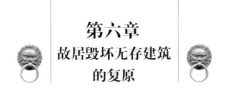

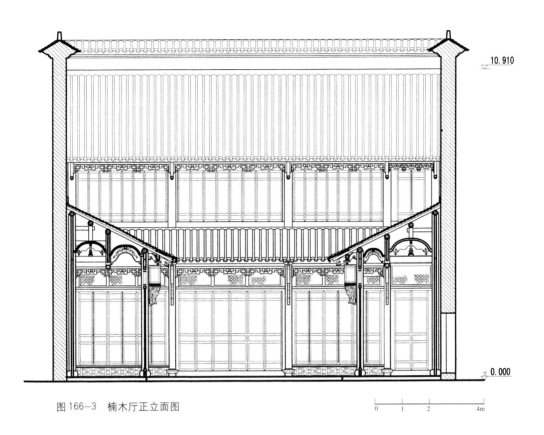

10. 910

±0. 000

图 166-3　楠木厅正立面图

0　1　2　4m

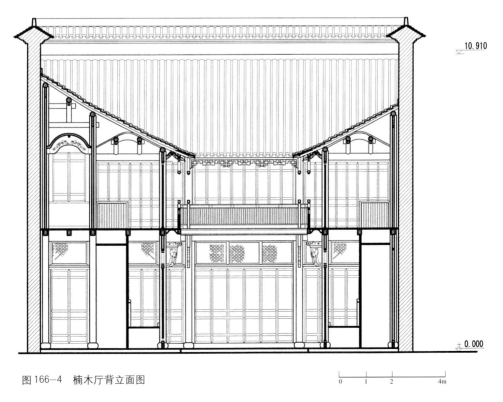

10. 910

±0. 000

图 166-4　楠木厅背立面图

0　1　2　4m

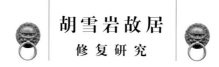

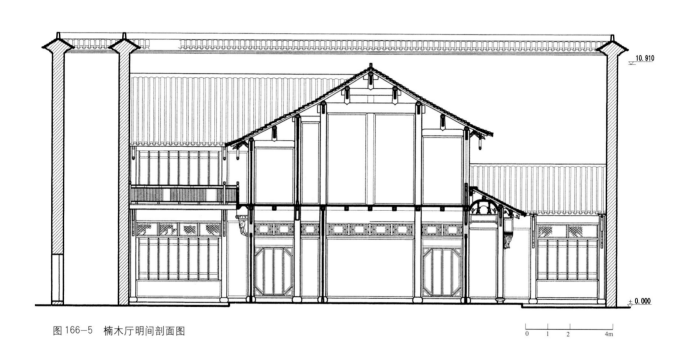

图166-5 楠木厅明间剖面图

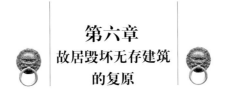

十二、水榭（图167:1—2）

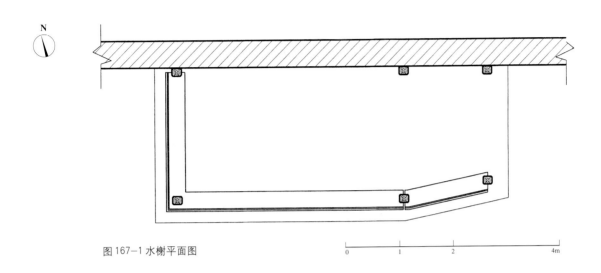

图167-1 水榭平面图

0   1   2   4m

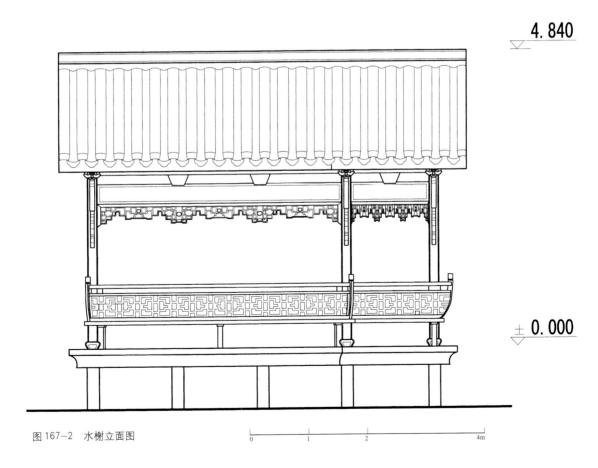

4.840

± 0.000

图167-2 水榭立面图

0   1   2   4m

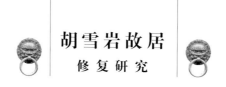

十三、红木厅（图168:1—4）

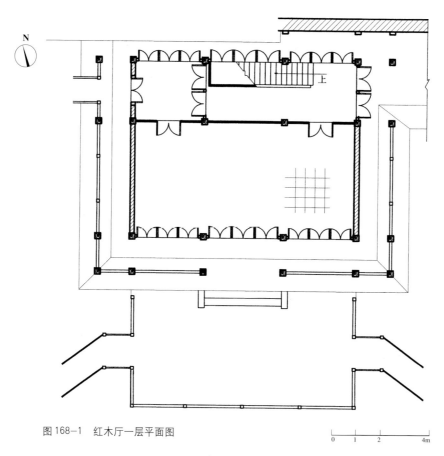

图168—1　红木厅一层平面图

0　1　2　　　4m

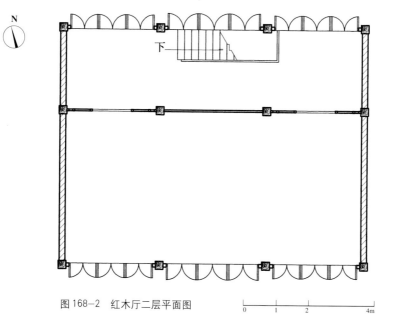

图168—2　红木厅二层平面图

0　1　2　　　4m

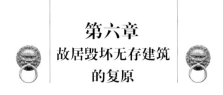

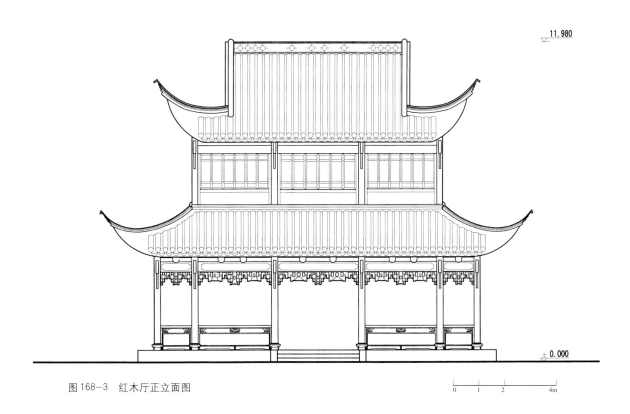

11.980

±0.000

图168-3　红木厅正立面图

0　1　2　　4m

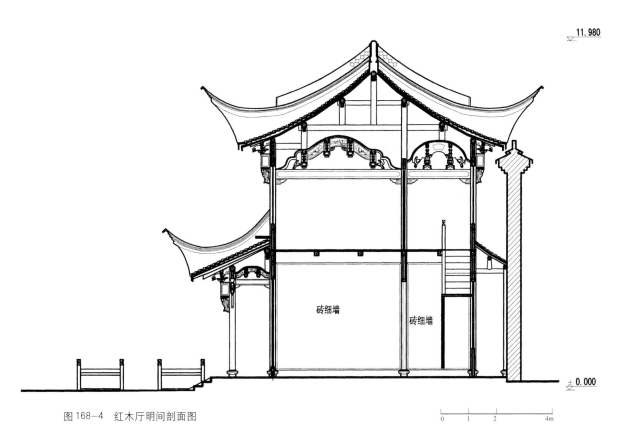

11.980

砖细墙　　砖细墙

±0.000

图168-4　红木厅明间剖面图

0　1　2　　4m

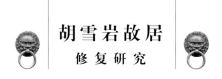
十四、厨房一（图169：1—4）

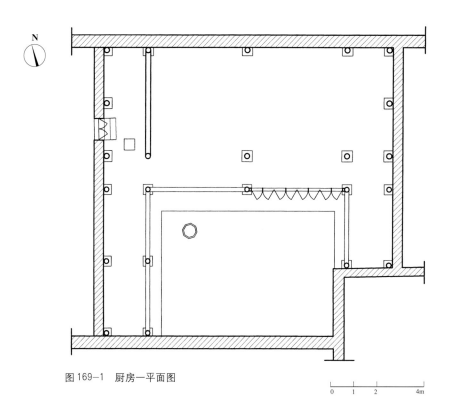

图169—1　厨房一平面图

0　1　2　　　4m

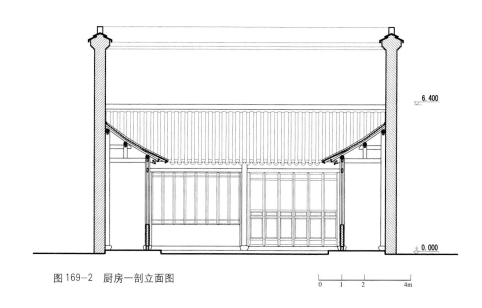

图169—2　厨房一剖立面图

0　1　2　　　4m

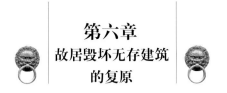

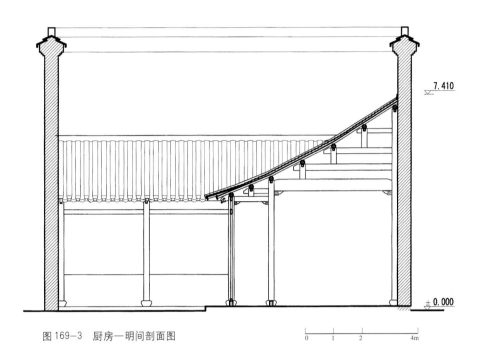

图 169-3　厨房一明间剖面图

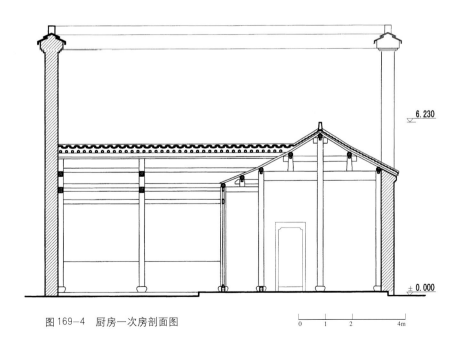

图 169-4　厨房一次房剖面图

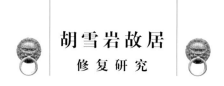

十五、影怜院（图170：1—3）

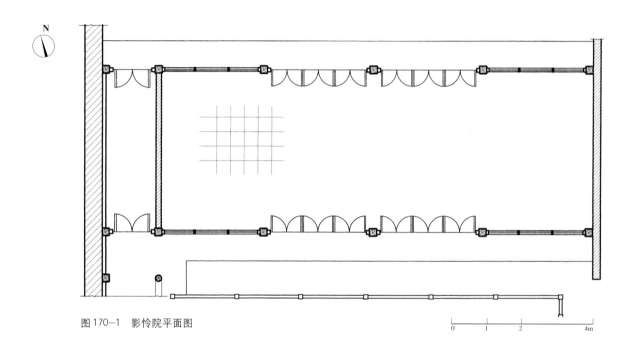

图170-1　影怜院平面图

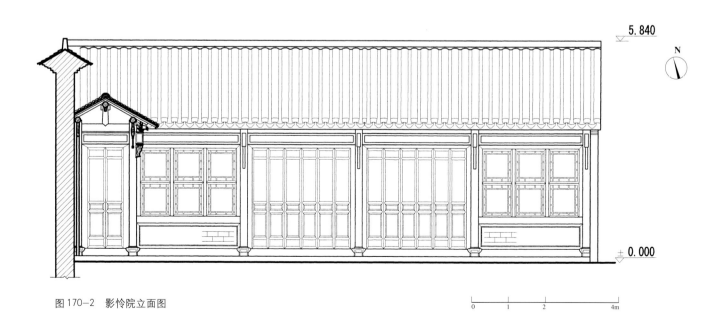

图170-2　影怜院立面图

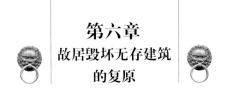
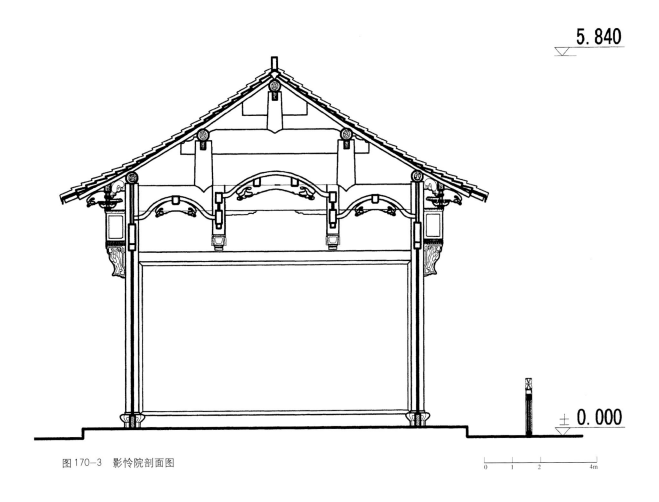

图 170-3 影怜院剖面图

5.840

±0.000

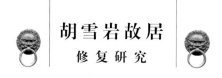

十六、四照阁（图 171:1—4）

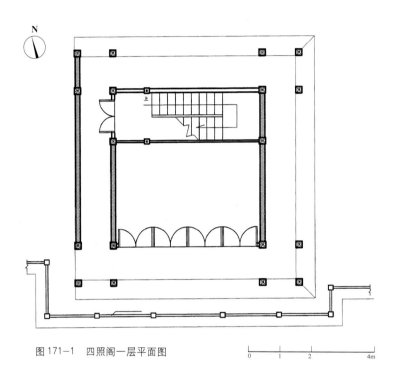

图 171-1　四照阁一层平面图

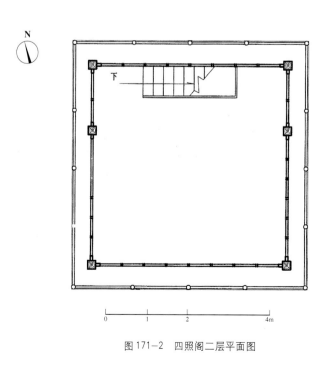

图 171-2　四照阁二层平面图

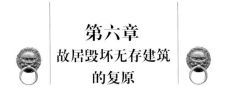
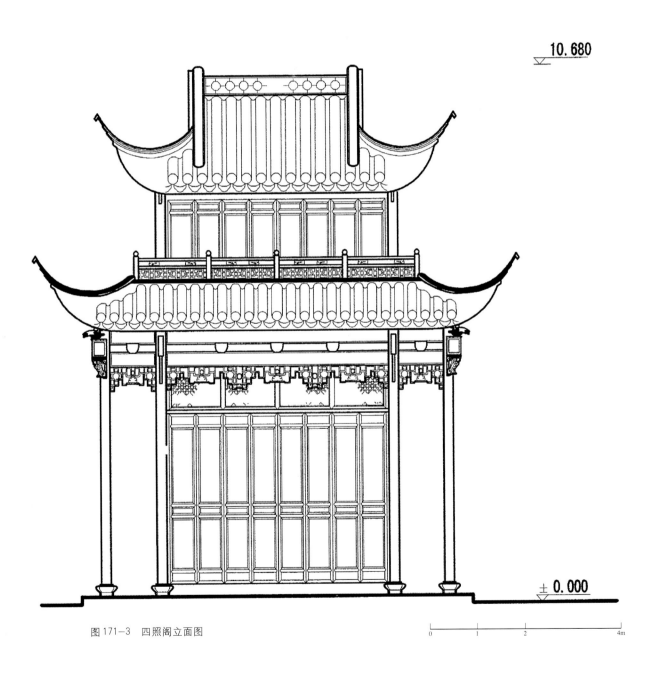

10.680

± 0.000

图 171-3　四照阁立面图

0　　1　　2　　　　4m

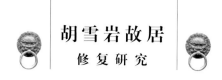
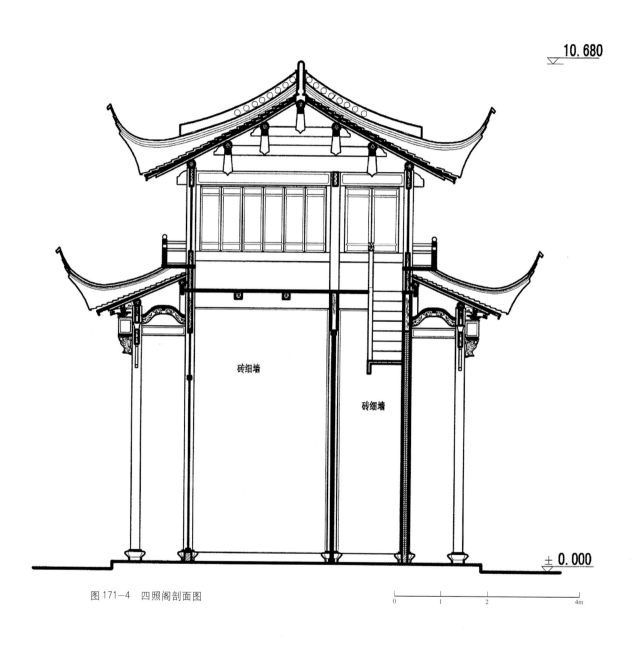

10.680

砖细墙

砖细墙

± 0.000

图 171-4　四照阁剖面图

0　　　1　　　2　　　4m

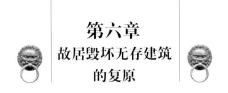

十七、冷香院（图172）

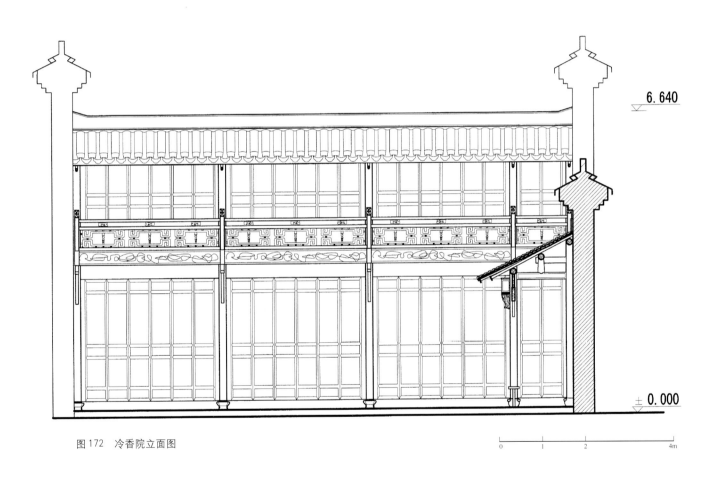

图172　冷香院立面图

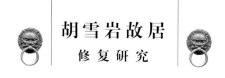
十八、芝园桥亭（图173）

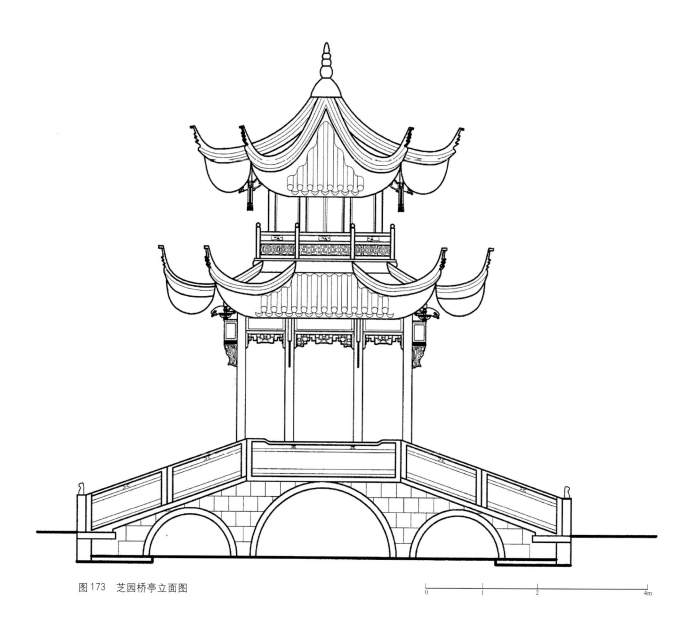

图173　芝园桥亭立面图

十九、芝园东长廊（图174：1—2）

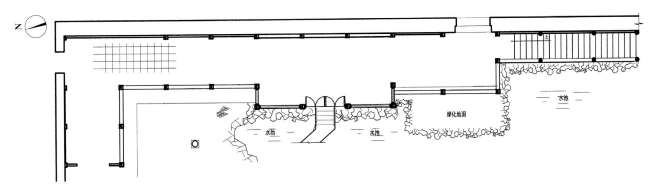

图174—1　芝园东长廊平面图

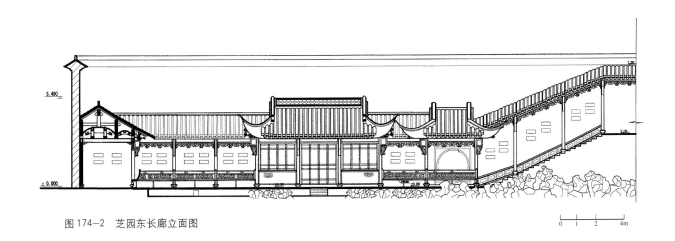

图174—2　芝园东长廊立面图

0　1　2　　4m

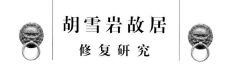

二十、芝园西长廊（图175：1-2）

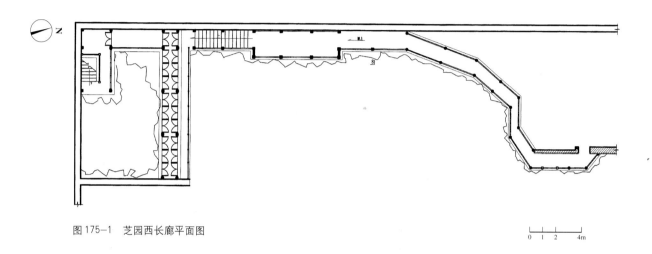

图175-1　芝园西长廊平面图

0　1　2　　4m

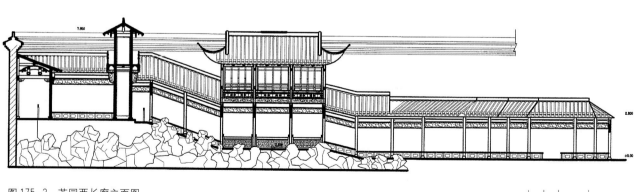

图175-2　芝园西长廊立面图

0　1　2　　4m

二十一、花厅三（图176:1—4）

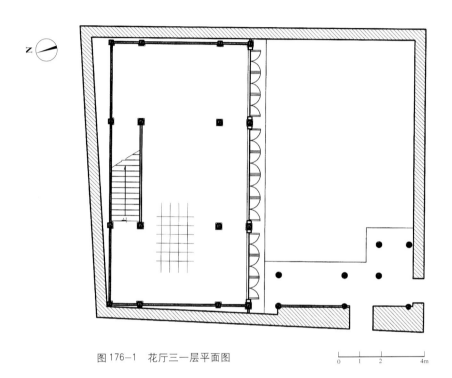

图176-1　花厅三一层平面图

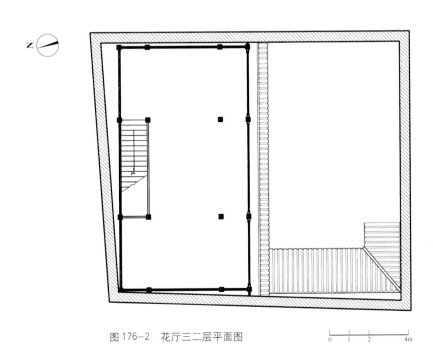

图176-2　花厅三二层平面图

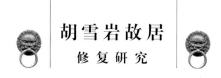
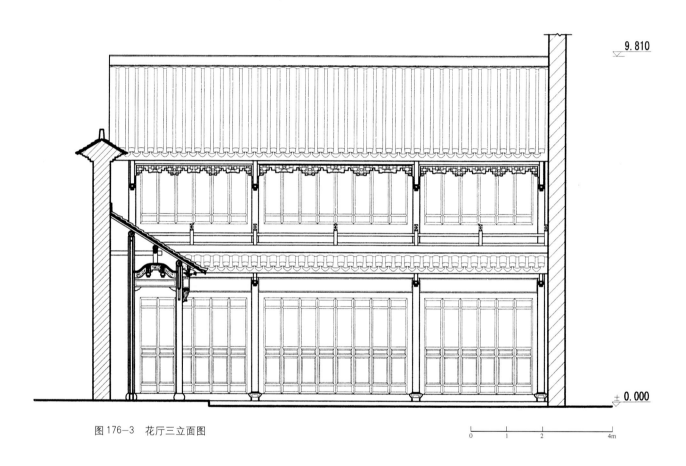

9.810

± 0.000

图176-3　花厅三立面图

0　　1　　2　　　4m

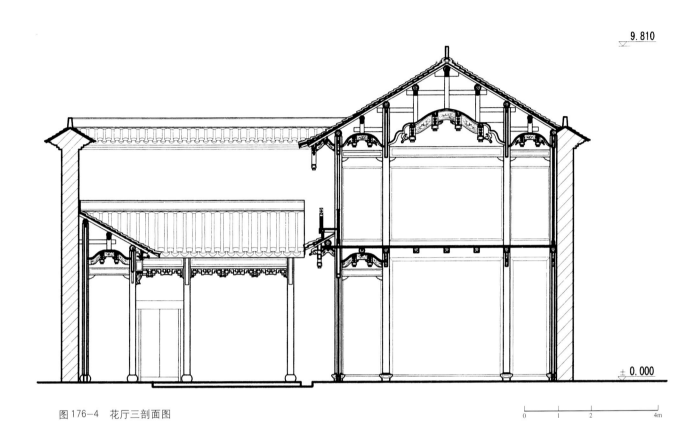

9.810

± 0.000

图 176-4　花厅三剖面图

0　　1　　2　　　　4m

以上复原建筑大多只是依靠沈理源的平面实测图设计。由于沈理源的平面实测图基本是准确的,根据当时的这张实测图,可以判定柱子形式、柱子的间距、楼梯位置,甚至可以推测楼层和基本梁架,因此,复原设计有一定的可信度。但建筑上的一些构造,如建筑的具体形式、各部位的雕刻、门窗纹饰等,仅参考沈理源实测图或不严格遵循实测图都难免造成一些设计缺陷。

正厅是胡宅内十分重要的建筑,面阔五间,沈理源实测平面图明确显示前后檐五开间均是落地长窗,但设计中没有严格遵守实测图,而是改成明间为落地长窗,其余为槛窗。在建设施工中,我们本着尽可能接近历史原貌的原则,按照沈理源实测图对这一明显的错误进行了改正,将前后檐五间全部制作、安装了落地长窗。

正厅明间两金柱之间上端的串枋,按照设计图纸高仅 0.85 米。由于该楼是胡雪岩的重要居住、活动场所,明间正中应悬有匾额,0.85 米高根本无法挂匾,我们在施工时将其改为 1.05 米,才勉强能挂“百狮楼”匾额。另外,原设计楼板搁栅(地板龙骨)之间的间距为 0.73 米,而考察胡雪岩故居和胡庆余堂的楼层实例,发现都比这大得多。尚存的一些建筑的二楼地板下搁栅间距分别是老七间为 1.05 米、花厅四为 1.13 米、新七间为1.13米、门楼为1.14米。胡庆余堂的二楼地板搁栅的间距为1.09米（一、二进楼房相近，都与故居基本一致）。这些证据表明，作为主体工程的正厅，其原来的地板搁栅间距也应该在1米以上才对。对比胡庆余堂和胡雪岩故居的几幢老建筑，楼层搁栅间距仅有10厘米左右的出入，而正厅复原设计的二楼地板搁栅，每一处间距短了40厘米左右。

故居东墙爬坡廊是处小景，按照沈理源实测图爬坡廊最高处是四角亭位置，从北往南上台阶，原应该是8步，设计者按照现代楼梯的情况改为4步。我们在施工中根据沈理源的实测图按照古典园林的小尺度，把每个台阶降底，复原成了8步台阶。但施工人员没有理解园林踏步落差较小的特点，现每步台阶落差还是显得大了些，以后我们将会作进一步修改。

鸳鸯厅南侧廊子是鸳鸯厅与老七间相连的通道，复原设计的通道廊柱都是方形。考古清理发现该廊子遗迹保存较好，方形青砖墁地，并还有少许磉鼓石保存。沈理源的实测平面图表示鸳鸯厅南侧一段廊子为方形柱，而向西南折的廊子为圆形柱，这应是当年主人或设计者有意而为，方、圆不同，即合"鸳鸯"之意。在复原施工时我们按图纸施工一律做成了方柱，以后将予以修改。

明廊长10.11米，是胡雪岩故居中区与东区的主要连接通道。维修前该通道的廊子早已被毁，但通道东西两头的石库门上方尤其是轿厅山墙上，有明显的原有廊子屋面与墙面相接的痕迹，这是一个很好的依据，它示意了廊子西头的高度。这条明廊西头高，东头低，地面形成一个斜坡，设计时要找准两个不同高度的位置，使廊子也作成斜的。由于我们设计此廊时没有把握好西头的高度，概念化地将廊子屋面拉平，致使廊子与墙的接点过低，造成部分结构挡住了石库门，使大门无法开启。很明显，设计时没有在原有遗迹作调查。明廊建成后，该设计者希望把整座廊子的三组6根柱子都加长重做，我们为了节省工料，又从最佳角度考虑只换了西头一组，加高了两根柱子。建成后看来，明廊西头加高使廊子第一间起折的效果也颇自然，似乎符合当年的做法。

东、西四面厅是正厅后花园的主要建筑，沈理源实测图表示东、西四面厅均为东西向，三开间，建筑四周有回廊，次间廊柱之间设美人靠，东西三开间均作落地长窗，两山面靠角柱处各有门洞，室内不分间。复原设计图对东、西四面厅平面布局的设计还是符合沈理源的测绘图的，但对屋面的设计则有很大问题。其屋面采用了歇山顶，正脊有缠技花卉，正中凹下，两侧升起，在正脊两端设圆形花盆，四角起高翘，在戗脊前端有变形鱼兽纹（见图158-4）。从杭州现存的明末清初建筑岳官巷吴宅、载德堂、新华路茅宅和陈宅的屋面看，正脊均有升起的做法，有的柱子还作成梭柱状。但杭州清代中晚期的木构建筑，再没有正脊升起的做法，尤其是像设计图这样的正脊瓦作特意作出中间低两边升起及戗脊部位的装饰，在杭州更是不曾见过。很清楚，设计者把两座四面厅屋面设计成了徽派建筑（关于胡雪岩故居的建筑风格，笔者在后有论述）。因此，该项设计在复原施工中未予采纳。

其次，两座四面厅屋架的举折，也有不足之处。首先看一下故居与胡庆余堂遗存建筑的举折：

破屋梁架举架：脊桁五五举，上金桁五举，下金桁四五举。

花厅四梁架举架：脊桁六举，上金桁五五举，下金桁四五举。

门楼梁架举架：脊桁五六举，上金桁五四举，下金桁五四举。

老七间梁架举架：脊桁六举，上金桁五举，

中金桁四举，下金桁三五举。

新七间梁架举架：脊桁六举，上金桁五五举，下金桁五举。

轿厅梁架举架：前檐、脊桁六五举，上金桁四五举，下金桁五举；后檐脊桁六举，上金桁五五举，中金桁五举，下金桁五举。

胡庆余堂一进梁架举折：脊檩七举，上金檩六举，中金檩四五举。

再看一下二座四面厅：脊桁九五举，上金桁九举，下金桁二举。

总之，上述两座四面厅建筑屋面的设计与故居和胡庆余堂屋面对照明显举折过大，不符合胡雪岩故居的风格。

这次对芝园内建筑红木厅、水木湛华、四照阁、冷香院和影怜院等作了复原。芝园的这些建筑在复原设计时，仅亭桥与四照阁各有一张照片可供参考。四照阁照片的拍摄距离较远，很难据以确定建筑的高低大小。亭桥不仅拍摄的是正立面，而且拍摄的亭子也相对较为清晰。亭桥大小高低尺寸的设计，主要是用照片对照石拱桥中孔遗迹的宽度找出依据，按比例计算亭桥的全部尺寸进行设计的。建成后的实际效果，与照片效果的差距不大。从后来由中国建筑设计研究院建筑历史研究所征集到的照片和图纸看，外观仅屋面坡度有些误差。亭内因修复时仅凭一张立面照片，看不到天花情况。从后来征集的照片与剖面图得知，内部天花等处，还是有不小的差别。2002年2月，亭桥天花按原样复原纠正。

四照阁的复原设计，主要是立面高度有问题。从北京征集来的四照阁照片上也看不出它立面的真实高度，因为照片是从假山下向上拍摄，四照阁前檐有石栏板与假山遮挡，没有完全反映建筑的立面情况。而从其他老照片看，四照阁西向冷香院处，仅下檐就在9米高的围墙之上，高于冷香院下檐1米以上，由此分析检验复原建成

的四照阁，一层还是低了，应再加高1.2米左右。四照阁一层的高度在复原施工中曾增高过3次，现在看来还是不够。冷香院同样也低了1米左右，而且从照片看，该楼是重檐。由于故居已对外开放，返工修改非常困难，我们决定在适当时机安排返工。原杭州市话剧团舞美设计师董杰先生曾在此楼住过3年，在修复前，他画有一张四照阁立面示意图（见图148）。从这张图看，一层特高，与二楼不成比例，从目前征集到的照片看，董杰先生的回忆是正确的。因为四照阁一层不拉高，不能达到借景——远眺钱塘江的效果。由于左右有影怜院与冷香院，四照阁的下檐应该高于影怜院屋脊，否则影怜院室内会显得很低矮。同样，四照阁一层不升高到与西侧冷香院一样高度，视觉上效果不好，还影响登台阶上扑凉台。冷香院下檐高度不提上去，上扑阳台时，头有可能碰到该楼的下檐。所以如果当时把董杰先生的示意图仔细研究一下，今天假山上三幢建筑的效果会更好。

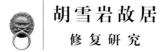

第三节 园林复原

Section 3 Restoration of Gardens

胡雪岩故居内的园林以芝园为主体，另有正厅后花园、花厅一东面和花厅二东面的部分园林。

芝园主要由水池、大假山以及红木厅、花厅四、影怜院、四照阁、冷香院和东西长廊等建筑所构成。整个园林占地不大，但园林要素一应俱全，厅堂、长廊、牌楼、高阁、水池、假山、曲桥、拱桥和露台等组成了丰富的园林景观，一眼望去，高低错落，气象万千。

维修前，芝园一片破败景象。我们在拆除违章建筑的同时，对大水池遗迹进行了全面的考古清理。在考古清理过程中，我们发现芝园大水池周边湖石驳坎尚在，特别是折桥和拱桥的桥墩遗迹也全部存在。根据遗迹研究发现，芝园水景是由3个高低不同的水池组成。以芝园的遗迹情况与沈理源实测图对照，两者基本吻合。这样，恢复芝园水池的条件已完全具备，但据《胡雪岩外传》记载，水池早已盛不住水，从芝园50年代的照片看，当时的水池早已枯竭。该池地势高又没有水源，池床仅靠黄泥作封闭是解决不了漏水的问题，如此大的水池，今后光靠自来水补给会造成很大的浪费。鉴于上述情况，我们决定采用钢筋混凝土浇筑水池，在池壁外部按原样恢复驳坎的方法。维修时，首先我们对现存太湖石驳坎进行测绘和编号，然后拆除驳坎，用钢筋混凝土对池底和池壁进行浇筑，浇筑完成后，再在池壁外部根据测绘的驳坎资料按编号予以恢复。按此法修复的水池既保持了原样，又不会产生渗漏，取得了良好的效果。

大假山也是芝园的一个重要组成部分。修复前，大假山内三分之二的山洞已被砖石、瓦砾所填埋，其上筑有宿舍和厂房。拆除了这些建筑并清理了假山溶洞，我们发现洞体尚存，只是西面山洞顶部已被拆毁，假山主体保留仍属完好。假山北立面已遭到严重的破坏，《外传》中描述的奇峰异石已荡然无存，现保留下来的立面，仅剩假山块石芯体了。

芝园大假山的修复难度，关键是假山石的选料和高水平的堆叠工艺。在修复前我们仔细研究了有关大假山的资料（包括《胡雪岩外传》记载和部分照片）和保留下来的假山石体，发现此假山的堆叠稳重而豪放，山石块面较大，气势磅礴，不像苏州园林中的假山玲珑而秀气。据杭州园林高级技师蒋阿高分析，此假山属杭州派。另据《胡雪岩外传》描述，芝园大假山当年也是由家住湖墅的四位杭州叠石高手所叠。确定了假山风格后，我们聘请了蒋阿高根据现场情况和照片对现存假山进行维修和复原，在修复过程中请杨鸿勋教授指点。假山石的选料至关重要，为此，我们四处寻觅与原有假山石石质接近的太湖石，并按照片寻找形状近似的峰石，以求复原能够逼真。遗憾的是，像照片上原有皱、透、瘦、漏的灵石和奇峰，如今已很难寻找。恢复后的大假山虽然在整体上达到了形似，但堆叠的峰石却始终无法恢复到原有的艺术效果。

芝园大假山，是故居最为重要的景点之一，按《胡雪岩外传》说法，是设计师尹芝苦思冥想，反复设计不成功后小住灵隐飞来峰，忽来灵感后设计出来的。考察大假山，有关的路径、洞穴等应当说还是颇似 杭州飞来峰的。大假山通面宽35.5米，正立面朝北，分别自东而西筑叠滴翠、擎

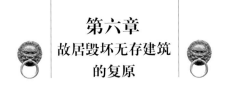

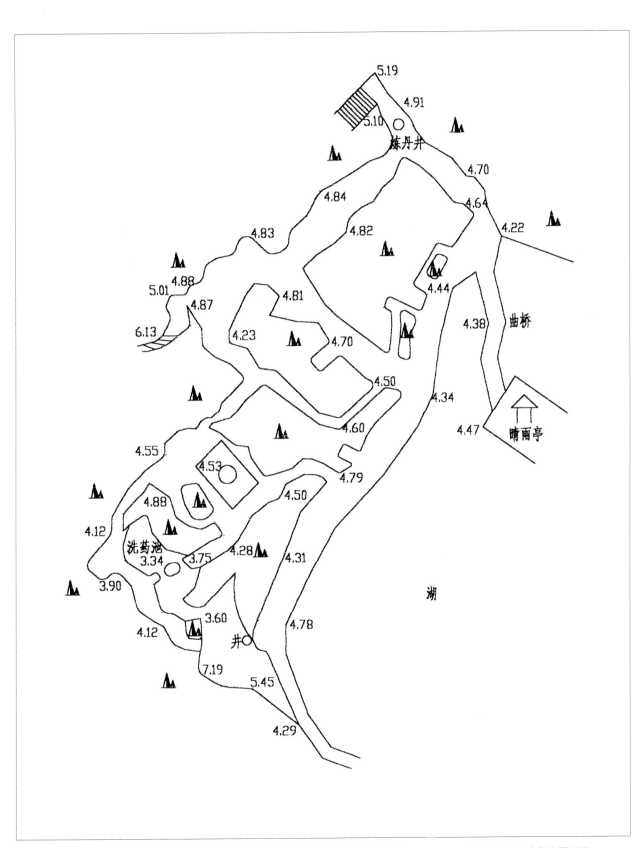

图 177　芝园大假山平面图

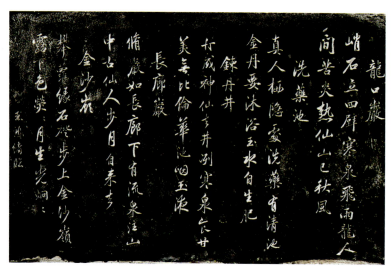

图178　芝园假山洞内的"龙口岩"石碑

荧荧，月生光炯炯。

王鸿绪临

王鸿绪，《清史》有传，初名度心，字秀友，江南娄县人，任《明史》总裁。

上述诗文，疑为清人王鸿绪临写赵孟頫的书法。因赵孟頫曾立碑撰文书丹，碑早失。此篇系江西三峰山二十四景诗文部分。

从这首诗的内容分析，笔者认为大假山景观的整体布局，与飞来峰的自然景观还是不同的。胡宅大假山虽某些洞形、小道、台阶有仿杭州飞来峰，但主体还是依据赵孟頫写江西三峰山中一处景色的内容构思设计的。

大假山按原样修复后，其上的影怜院、四照阁、冷香院也依次按沈理源实测图进行了复原。在对这些建筑的复原中，笔者发现这几个建筑的柱子落脚处，恰恰正是假山的实体部分。可见，芝园的设计者在设计假山和建筑的过程中，已充分考虑了两者的受力关系，具有很强的结构设计意识。

芝园水池、大假山和大水池内折桥、拱桥以及周边建筑复原后，整个园林恢复了原有的生

黛、皴青和悬碧四个洞口，洞内有高有低，四通八达（图177）。这四个洞以"滴翠"为最高，好似龙口。洞内峭石立四壁，壁面镶嵌王阳明等多块名家法帖。洞内水池一半露天，水从前后山顶流落，水质清澈，夏天更是特别清凉。在"滴翠"洞内的西侧有洞口和小径，小径与水池相接处用湖石砌叠三级踏道。夏天炎热时，可从此处走下冲凉、嬉水。西侧最尽端是"悬碧"洞，进洞不多几步，可见一玉井。井的上方有"云路"两字，向左拐是弯弯曲曲全用假山石叠砌的长长洞穴通道，正像是用岩石做成的长廊。

在大假山悬碧洞内"云路"石匾旁，砌叠一块30.5×56厘米的法帖（图178）。内容是：

龙口岩：峭石立四壁，寒泉飞两龙；人间苦炎热，仙山已秋风。

洗药池：真人栖隐处，洗药有清池；金丹要沐浴，玉水自生肥。

练丹井：丹成神仙去，井洌寒泉食；甘美无比伦，华池咽玉液。

长廊岩：修岩如长廊，下有流泉注；山中古仙人，步月自来去。

金沙岭：攀萝绿石磴，步上金沙岭；露下色

图179　正在拆除的五层砖混结构楼房

气，其独特的设计理念和独有的华丽气氛，得到了生动的真实体现。

故居内园林的另一个主要部分即是正厅后花园。修复前，此处的建筑和园林都仅存遗迹和基础。在前期的考古清理中，后花园的西侧清理出一个面积不大的水池，在沿墙处发现许多假山基础的遗迹，这些遗迹与沈理源实测平面图完全吻合。我们根据假山的基础遗迹和墙上残存的假山堆叠痕迹，确定了假山的平面位置和标高，并对此园假山全部进行复原。复原的假山一方面起了造景作用，另一方面对倚靠着的8米多高的围墙也起到了重要的支撑作用。对于西面的水池，由于池底破坏严重，我们采取和芝园大水池一样的内浇钢筋混凝土外覆太湖石驳坎的做法。在后花园的北面，我们通过考古清理发现了一个石质花坛，在故居内这类不同形式的花坛已发现多个。据笔者判断，此类花坛实为故居内种植名贵树木的围边。我们保留了花坛并种植树木。通过对后花园的修复，我们充分体会到了原设计者的匠心独具。在园中漫步，步移景异，极富情趣，这个后花园，其景致比芝园少一分豪气而多了一分宁静。

在故居的东南角，也就是在花厅一和花厅二附近，也有一部分园林小品。在花厅一和花厅二之间，在考古清理中发现一处石构平台和水池遗迹，从形制和功能上分析，此处应是水榭所在。平台周围的水池保留十分完好，池底石板也基本存在，但依然盛不住水。对此处水池我们没有运用芝园水池的做法，而采取全部保留，用高分子材料对石板和湖石驳岸进行勾缝处理。由于石板老化，再加上本身仍存在透水性，所以渗漏还很严重，至今仍采用每天补水的方法来保持水位。在水池西边，考古清理发现有桥痕迹，我们根据遗迹在此处复原了小桥，但小桥的工艺上还不够精美，这是一个遗憾。

在花厅一和花厅二间有一段廊子，廊子中间

有一石阳台被较为完好的保存下来。此阳台为二层，第二层没有顶盖，有如晒台。这些阳台靠假山石盘旋而上。

在花厅二的东面，沈理源实测图上有两个狭长的水池。维修前此处是后建的五层砖混结构楼房（图179），由于该建筑基础较深，此处水池完全被毁，现水池是依据沈理源实测图复原的。而在其北侧，考古清理发现了较为完好的水池遗迹和部分桥墩遗迹。沈理源的实测图表示两池相连，其间有假山石与短墙相隔。我们发现在此池边有假山石基础紧靠围墙，于是根据墙上的假山印痕恢复假山。在池内根据桥墩遗迹加铺桥板，恢复石质平桥。北侧水池也采用高分子材料勾缝处理。此处园林小桥流水、山石壁立、斜廊亭台与水面相得益彰，雅趣横生。

胡雪岩故居内的园林，我们主要依据沈理源的实测图、老照片和考古清理的遗址来进行复原的。其中不少假山的高度和形状，均在故居老墙上寻找到残留痕迹。在那些老围墙上只要有青石从墙内横跳出来，就是筑叠假山用的受力点和固定点，这些点上留下了明显的假山痕迹（图180）。故居内花木不多，原来主要集中在芝园大假山四周。因此故居园林的修复，主要还是水池、假山、亭台及水榭。这些园林建筑不少均有资料与遗迹，虽然复原有一定难度，但我们做了认真研究分析，精心施工，还是基本达到了科学复原的良好效果。

经过对留存建筑的维修和无存建筑的复原，胡雪岩故居的修复工程大体完成。杭州市对这一工程投入了大量的人力物力，在这次修复中（不包括制作屋面的落水管）仅用在门窗上的门环、拉手、门别、插销、摇梗和梗臼等用铜铸件就达15.6吨，工程的浩大由此可见一斑。

至此，有一点笔者想做一点说明。由于故居内多用江浙一带用的轩棚和砖细，有人便认为

图180 老围墙上的假山痕迹

图181 杭州的石库门

图182 安徽民居
石库门和门前石栏

胡雪岩故居是座徽派建筑。如果仅仅以为胡雪岩的祖籍是安徽，而胡宅又多用雕刻和砖细，就一概地把他的故居说成是徽派风格，这种论断是不恰当的。

我们首先看一下胡宅大门和天井。大门高2.9米，宽2.26米，门额上用宽3.3米，高0.5米的青石贴面，看上去既像官帽又像"高"字形。这类朴实的青石石库门风格正是杭州的地方特色。从杭州现有的明清建筑看，此种石库墙门非常普遍（图181）。皖南也用石库门，石库门上采用与杭州石库门一样的大青石贴面，但风格与杭州不同。如安徽歙县民居稍有规模的建筑，大多采用浙江淳安、建德一带的严州青石料作石库门，门顶端额面高一般都在80~90厘米。大门前也均设台阶，与杭州不同的是台阶两侧作素面石栏（图182）。故居内用青石板铺砌的天井不少（图183），特别是主体建筑地面多用青石板铺设，形式很简单，把青石板铺平，其上仅凿下水之用的铜钱孔，其他不作任何雕刻。这类天井，一般比主体建筑前檐的阶条石低10~12厘米左右，这是杭州传统建筑中非常普遍的做法。而徽州一带的天井大多比主体建筑的阶条石要低得多，一般在20~30厘米上下，有的在由此形成的台基壁面上施以雕刻，而且大多会在天井四周边做排水沟（图184）。

在梁架上，胡雪岩故居与传统的杭州风格一样，采用断面长方形木材做梁架，整体比较简朴，其高大的梁架上，多刻人物、花卉。而徽州一带民居梁架则多作圆木起拱状，俗称"冬瓜梁"。有的采用长方形梁架，这种梁不少也作成拱状，有的也不起拱（图185）。这类长方形梁架无论起拱不起拱均为菱形，梁架的宽度也基本一致。杭州的长方形梁架不作菱形状，平行时驳成圆角，大多中间宽度大，两端收小。

胡雪岩故居屋面瓦作也很简朴大方，不设吻兽、不作升起。在新七间屋面正中发现有残存砌

图183　故居内的天井

图184　徽州天井内的排水沟

筑，这应是屋脊正中设置的小照壁，上面作有画像或"福"、"寿"等字，这正是杭州的地方特色。这种特色，50年代在杭州的传统建筑中，普遍能够见到，现在杭州仍然还留有这种实例（图186）。胡雪岩故居大门门楼南面的西转角檐柱牛腿之上的琴枋上，雕刻有一组人物与建筑图案（图187），其中一座建筑的屋面正脊正中就有一座小方照壁，真实地反映了杭州筑建的风格，实为难得。而徽州的屋面十分讲究，如安徽绩溪胡雪岩祖庙正脊两侧高高升起，正脊砌得特高，壁面有砖细或堆塑，再作吻兽（图188）。如徽州歙县棠樾古民居祠堂的屋面，正脊两侧升高，其上有十分复杂的装饰泥作。屋面瓦作中间凹曲较大，这类做法俗称"肥水不外流"，是最典型的徽派建筑风格。

图185　徽州建筑的梁架

　　另外，胡雪岩故居保护较好的老七间南北山墙（三山屏风墙）、轿厅南墙和东墙、楠木厅西墙 以及大门的山墙和围墙（图189），虽比一般杭州房屋要高，但形式一样，均采用下大上小、墙顶作三线叠涩、小青瓦盖顶并用小瓦竖立作墙脊（甘蔗脊）的形式，其下侧墙正面作壶细口，软抛枋及垛斗墙。这些不仅是杭州建筑的传统做法，并且符合《营造法原》的有关内容。而徽州一带做法不同，如墙头类似博

图186　杭州民居墙上的小照壁

风板的形状，板上直立一砖顶住加高墙脊起翘（图190）。有的三山或五山屏风墙等的墙顶脊不起翘，但在脊的头部筑一类似花盆的构件（图191），有的柔和地用瓦作砌高翘。安徽歙县有些传统建筑的马头墙自檐口至墙体有均匀规范的叠涩，这类做法在胡雪岩故居及杭州本地建筑都没有见到。

如杭州地区二楼地板搁栅间距都在1米以上，一间房间由多根搁栅支撑。但徽州不同，其建筑一间房间中间位置用一根较大的搁栅支撑。还有如大门下方的梗臼，徽州的梗臼普遍由一块高15厘米，长34厘米，宽1.3厘米左右的木质或石质物体制成，而杭州是在落地的石板上直接凿出一只孔，其上安装铁构件，作成梗臼。这些与杭州地区的作法不仅风格不同，结构也不同。其次，在徽州一带的民居包括

图188 安徽绩溪胡雪岩祖庙屋面正脊

图187 门楼牛腿及琴枋的雕刻

图189 老七间三山屏风墙

图190 徽州的屏风墙

图191 徽州的屏风墙

那些稍有规模的建筑大多都不油漆，均为木质的本色，这与杭州也不相同。

上述这些两地不同的传统建筑形式，当然存在着相互之间的影响与交融，笔者在皖南曾看到极个别的民居墙门和郑成功祠堂都采用与杭州一带风格类似的石库门（但门框上少了比门还宽得多的那块贴面），这就是地域之间影响的结果。地域相距越近影响越大，如杭州地区淳安、桐庐等地的居民建筑，确实充满徽派风格，徽派建筑却与杭州传统做法截然不同。而胡雪岩故居建筑上所用的那些铜铸件、铜隔漏（落水管），尤其是那些铜制摇梗、梗臼都在国内少见，同时故居还引进了欧洲风格的建筑构件，如罗马形式的木栏杆、彩色玻璃等，所以它充满着借鉴海外的创新个性，这些与杭州风格的园林与假山融合起来，别具一格。另外故居内的砖细图案多达20余种，形式多样，其宅院内还多用鹅卵石铺地，图案主要有聚宝盆内盛金钱、元宝滚滚、平升三级等，有个别的取花鸟题材，制作极其精美，更显出故居建筑风格的不同一般，所以我认为胡雪岩故居是一处以杭州建筑风格为主体的近代文物建筑。

第七章 Chapter 7
疑难问题的研究
Research on Difficult Problems

由于胡雪岩故居毁坏程度很大，在修复过程中，我们遇到了许多难以求证的问题，这些疑难问题最终在笔者的努力下得到了解决。

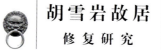

图193 胡庆余堂美人靠

第一节 关于美人靠坐椅的考证
Section 1 Textual Research on Chair with Tilted Back for Pretty Woman

从沈理源胡雪岩故居平面实测图上观察，有不少建筑的檐柱与檐柱之间画了两条线，如正厅、东西四面厅、明廊、绿梦亭、老七间和新七间等（见图108）。修复前，在留存的老七间、新七间等原有建筑上 都没有相应设施。沈氏实测图中的两条线是什么意思呢？按常规，应该是栏杆的表示，但是较高的扶栏还是坐凳栏杆，一时找不到相关的依据。

在分析研究过程中，开始我们一直在老七间前檐阶条石上进行考察，希望查找到有关的痕迹。因为当时维修现场有许多建筑垃圾，我们只有一段段地边清扫边仔细查看，最终还是没有寻

图192　新七间柱子上的风钩痕迹

阶条石转角处的卯口，但新七间没有类似卯口。从沈理源的实测图看，老七间和新七间檐柱之间均应有构件，但为什么新七间没有痕迹呢？此时，由于新七间前檐稍间柱子走形需牵正，我们发现在该柱子离地面1.04米处有小孔，孔的外圈有卯口迹象（图192），这种痕迹在故居内的建筑上很多，如建筑门窗上安装风钩等。后在新七间其他开间的柱子上及老七间、花厅四二楼阳台檐柱上，都发现有明显或不明显的这类痕迹存在。因此，我们基本断定沈理源在实测图上画的两条线不是别的，而是示意带靠背的坐凳栏杆即靠背栏杆，这种栏杆也叫"美人靠"。考察胡庆余堂内，只有阳台栏杆和美人靠的靠背才有这类风钩痕迹，而转角处地上的卯眼实为坐凳板落脚支撑处。所以在复原中，沈理源实测图上檐柱或廊柱两柱之间凡有两线示意的，均复原美人靠坐椅。美人靠坐椅的式样和风格都采用胡庆余堂早年美人靠形式（图193）。

找到点滴痕迹。同时我们走访了在此居住过多年的有关人士，他们都说这里没有安装什么。数月后，我们在老七间前檐柱下用水冲洗阶条石时，在转角处发现异样迹象。由于时间久远，这些痕迹已与阶条石表面颜色基本一致。我们格外重视这一线索，于是小心翼翼地用钢攒子对南侧檐廊的转角处进行剔凿，结果发现两个卯口，并在北侧檐廊的转角处也发现有类似的卯口，看来此处有构件是肯定了。紧接着，我们又去新七间寻找

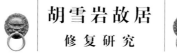
第二节 关于故居门扉的油漆问题
Section 2 On Paint Coated on the Door softhe Residence

胡雪岩故居约有几十座石库门,门扉大多都漆成黑色。故居原有的木门仅保存了3处,即大门和进门厅左旋的大石库门及老七间二楼北侧与下房连接的一座不大的石库门。这3扇木门均采用上等酸枝木制作而成,其中大门因日晒雨淋的原故,保存最差。老七间二楼这扇门,因为是在室内的缘故,保存得最好,虽然有的地方漆皮斑剥脱落,但大部分油漆仍然完好,正如《胡雪岩外传》描写的"一片黑墙(应是'色'),打磨得和镜子一般,人在那里走都有影子"的情形。

这类油漆采用的都是地道的中国传统生漆,工艺十分复杂,技术水准也非常之高。制作方法是首先把木门刨平,在刨平后的木门上刻深约0.5厘米的网纹,这样有利于瓦灰的牢固粘接,其上披第一道粗瓦灰加生漆,普刮一遍待干透后用沙子磨平,再用中号粗的瓦灰加生漆普刮一遍。等这些瓦灰与生漆尚未干透时,刷一层面浆,上面加麻布铺平,等干透后用细瓦灰加生漆普刮在麻布上,待干透后用3000~4000号水沙皮精磨(古时用一种特殊的树叶打磨)。这样一边精细打磨,一边观察表面是否有气孔,如有气孔再用细瓦灰加生漆修补,一直到完全平整。然后用从生漆中提炼出的一种红桩漆,均匀地刷在平整的漆油上,这时对温度、湿度要求较高,最好温度保持在20~25度,湿度要求60%,也就是在

这样的空气中漆才能干透。干透后再用6000~8000号细水沙隔水打磨,红桩漆反复刷数遍(一般2~3遍),然后采用香樟油(香樟树上提练出来),加棉花球如打蜡一样均匀地打磨完后,再用人的头发加细瓦灰擦磨,最后涂上花生油用人的手掌后端使劲推磨,直到漆色又平又亮与镜面一般。这种推磨由细嫩的手来做效果更好。

在老七间二楼石库门靠左一扇门扉一侧的下方,发现一块大约8~9平方厘米的油漆十分坚硬,厚度达1.5厘米。把这块油漆用软布轻轻擦磨,其光亮程度竟然与钢琴外表一般,充分体现出我国传统油漆工艺在美观、光亮和牢固方面都达到了一定的水准。这两扇门现已被保护起来,今后将在故居陈列展览内与观众见面。遗憾的是,用同样工艺新配制整修的大门,在美观、光亮效果上均无法与原物相比。

第三节 关于德律风的调查与考证
Section 3 Survey and Textual Research of Telephones

不少文字都提到胡雪岩曾使用电话，从目前看来，最早提到的是《胡雪岩外传》。书中说胡雪岩当时请了洋人订做、安装了"德律风"，用以和各位姨太太联络。描写如下：

"……因这楼上再没有岔路可以抄近走的，譬如要到梦香楼去，却定要走过软尘楼，要到麝月楼又定要走过梦香楼，自己虽是雨露均匀的，无奈这些女儿家总免不了一些醋意。因想了几日，又想出个好法子，仿那洋人的法子用一座大德律风摆在正院楼上，却用十三枝电线通向各房，那便只要自己认定德律风的门子，该给哪房知道，便对那一个风门讲一句；该唤他来，他自然便来；或唤他在哪一座楼上等他，便知道了到那一座楼上去。

定了主意，便立刻专人去请外国人打样，着洋匠做去。果然是有钱的好处，不上一个月，竟已置备妥当，便向各楼通了电线。实验之下，实是灵便，不但可以传话过去，并且可以传回话转来。谁的声音，竟是谁的声音，也不曾变了一点儿。雪岩自是得意。……

雪岩上来，便叫丫头们把德律风的十三扇风门打开，先打了报钟过去。不一刻，那十三处的钟都陆续先后回报转来，因便打话过去。又打电话过去，请各姨到来共宴。一刻百狮楼的回电转来，说有事，恕停一会子来席。随后各姨回电，都

说来了。稍过片刻，早见软尘楼的戴姨太太和梦香楼的螺蛳太太，都用两个小丫头扶着，款步而来。

雪岩一见，先笑道：

'有了这德律风，可便当的多了，也省了丫头们跑的落乱。'

戴姨太太尚未开口，螺蛳笑道：

'刚才那报钟猛可地响将起来，倒把我吓了一跳呢！'……"

那时能用上电话是不可思议的事情，这也引起了笔者对"德律风"的极大兴趣。为此我们格外注意宅内仍留存的老建筑，希望找到相关的遗迹。起初我们认为，故居内原正厅与红木厅应是胡雪岩生活起居最重要的场所，德律风总控应有可能设在那里，遗憾地是原建筑已不复存在。在调查中，其他留存建筑如门楼、新七间、破屋及花厅四也均未发现一点遗迹，后来我们在老七间发现了有关的线索。在老七间二楼北侧与下房过渡的披屋右壁下端发现一只木制壁柜，柜的前面还留存榫卯，说明当时曾装有活动的柜门（图194）。

此壁柜高87厘米，宽52厘米，进深65厘米，壁柜内有4个铜制器物，其中（上下左右按1~4号描述）1号垂直对应2号，3号对应4号。1号器物宽12厘米，高15厘米，中间位置装有7个可上下或左右活动的摇摆件。从现存摇摆件的痕迹看，原仅使用了6个，正好对应2号器物，中间位置上方是一个8×5厘米的方孔，该孔正是穿铜线的口。每个摇摆件上有3个孔，其中1个为定位孔，2个为铜线穿孔。3号器物有6个摇摆件，对应1号。3、4号器物各有2个摇摆件，上下垂直对应（图195:1-4）。从器物的安装位置看，这4个铜制器物的作用实际是力的转向器：即1号器物向内的拉力通过1号器物的摇摆件及1号至2号器物间的铜线向下传递到2号器物，再通过2

图194　通话器总控处

图196　下房护墙板内的铜管

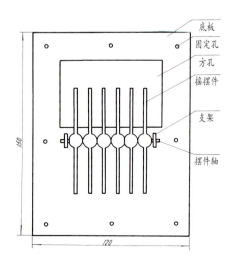

图195-1　活动摇摆件分件图

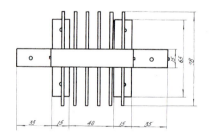

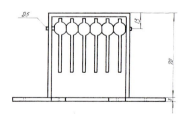

图195-2　活动摇摆件分件图

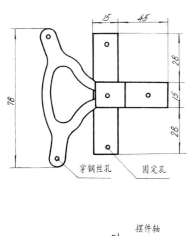

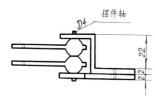

图195-3 活动摇摆件分件图

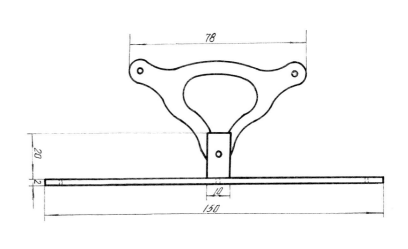

图195-4 活动摇摆件分件图

号器物传送到另一个方向。同时向右的拉力通过3号器物的摇摆件转变了力的方向，由向右变成向上，经过铜线传递到4号器物，再通过摇摆件转变力的方向，直到所需力的作用点。

同时，我们惊喜地发现在壁柜的右侧原装有8根铜管（现还保存7根），直径为25厘米。从表面看，铜管与铜线的走向有的相同有的不同，其实，这些线和管都隐藏在砖细或墙壁等最隐蔽的地方，很难发现管线的走向。首先我们在老七间二楼通向下房的楼板下，发现有一只铜制活动器物，在其左前的下房楼梯上端水平位置上有方孔，下房室内上端也凿有类似方形小孔，但在小方孔位置的周围却没有发现任何有关痕迹。我们拆除下房楼梯间南山墙上的护壁板，发现有与壁柜内铜管一样的铜管（图196）。这些铜管管壁不厚，制作很精致，每个铜管变换方向的弯头都是用锡焊接而成，而且规格统一，制作精良。经我们仔细查寻发现，这些铜管铜线的走向是下房。为此，我们对老七间进行了重点调查，结果整座

建筑的表面没有发现一点相关痕迹。后来，在修复轩棚破损望砖时，我们发现有铜管和残留的铜线。这样，我们就根据铜管的走向顺藤摸瓜，当铜管走出老七间后檐明间左右轩棚时，在后檐狭窄小间的后壁面顶部做了一个与楼板搁栅一样的假搁栅，铜管安装在假搁栅内（图197）。然后铜管再向老七间后檐每间的一根柱子里通下来。柱子开有宽7厘米左右的深槽（图198），表面用定制木料遮掩，铜管与铜线均从上向下安放在这个槽内，可见铜管和铜线的安装是经过了精心设计后施工的。从其在老七间的安装情况看，楼上楼下共14间房，各间都有一套铜管线设施，这不正是《胡雪岩外传》中所说的设在胡雪岩常住的"正院楼上"的"大德律风"——具有"十三扇风门"的总通话装置吗！但它真的是13门电话的交换台吗？

杭州有交流电是在1910年，最早安装电话是在清光绪三十二年（1907年）十一月，当时电话不采用交流电的方法，是商办浙江铁路公司聘请

日本电工装设了100门磁场石交换机，仅30多个用户。这些均是胡雪岩去世 20 余年以后 的事情。

电话是英国人贝尔（1847～1922年）在1876年6月试制成功的。贝尔发明电话与胡雪岩在故居内生活是同一时期，当时的技术交流及其设备引进速度，不会像今天的社会，因而胡雪岩住宅内的设备是不是电话就值得商榷了。

从故居内遗存的铜线看，应当不是电线，因为它们在关键的相交连接处都不采用焊接的方式，而是用盘缠的方式相接，一般交流或直流电都必须采用两条线正负连接。而这些铜制摇摆器在设计上没有绝缘措施，几根线往往同时接在一个相通的金属器上，一旦通电立即会短路。况且，这些铜线如果 是电线的话，这些灵活的铜制摇摆构件就 没有作用了，因此可以断定它不是电线。上述在每根铜管与铜线拐弯时均安装一只带有方向性、可灵活摇摆的铜制转换器，该器物不论是6根1组、还是2根1组或1根1组，都是为了把铜线通向目的地而特别配制成的，使用人只要轻轻拉动铜线，另一端的铃铛就会发出声来。而且几经调查与勘察，发现在这些铜管中无任何异物，并且十分密封，说明铜管应是胡雪岩当时通话用的传声管。另外，为什么这种设备仅在下人居住的地方才有，我们分析，通话设施主要还是为主人与下人呼叫方便而设置的。而离居住区较远的门楼、花厅四、新七间，一点相关痕迹都没有，说明这种通话设备距离越远效果越不好，或者根本不起作用。值得提及的是老七间后檐南、北各有两部扶梯，在与二楼楼板相平处，设有两扇盖门。老七间北侧与下房相隔的山墙上，又筑一石库门。两扇黑色木门的铜制门闩是靠下房一侧 ，也就是说这扇门应由佣人来控制，佣人可把门及两扶梯锁上，姨太太们有什么事情需要操办，只能通过这个德律风——传声筒打铃呼叫，这样就限制了姨太太们的活动。因此笔者认为，铜线是通过几个摇摆转换器产生撞击力，击敲铃声的设备，与其一起的铜管是用来讲话传声的器物。胡雪岩当时通话用的设备与早年轮船上的通话设施原理是一样的，是一种传声筒。当时应属先进的通话设备了。从目前调查的情况看，至今还保留这种清代通话设备的建筑，除胡雪岩故居外，在国内尚未发现 。

图197 老七间后檐串枋上假搁栅

图198 老七间柱子里的铜管

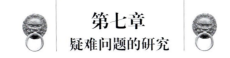

图 201　修复后的红木厅露台栏杆局部

第四节　关于芝园临水露台的栏杆
Section 4　On Balustrades along the Terrace Close to the Pond in Zhiyuan Garden

芝园遭受最大破坏应是上世纪70年代中期，在拆毁四照阁、冷香院、桥亭、绿梦亭等建筑的同时，打碎了露台石栏杆，推进大水池作了填充

物。这次考古清理，在芝园的大、小池中出土几百件建筑构件，其中不乏各种栏杆和望柱。修复时由于工期十分紧张，对维修部分采取先易后难的原则，哪里条件成熟哪里开始维修。因此对有充分依据的芝园中的假山、水池和露台先进行了维修。由于一时还无暇考证其出土构件的具体位置，栏杆等部位的复原只好暂缺。后来，原杭州市话剧团陶亚珍提供了一张老照片，正是我们迫切需要的资料（图199）。照片背景明显反映了红木厅临水露台的栏杆望柱、栏板，据此我们认定了池中出土的石栏杆和望柱，并根据望柱上方向各异的榫卯，找到那些与榫卯吻合的石栏板。现在红木厅北临水的露台栏杆（图200），就是靠这张宝贵的照片提供的确切资料复原的（图201）。

图 200　红木厅露台栏杆

图 202　后花园石阳台石柱与柱石顶

图 199　红木厅露台望柱

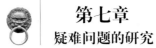
第五节 关于登临阳台的台阶
Section 5 On the Flight of Steps to the Balcony

胡雪岩故居的住宅复原了两座石造阳台（不包括芝园内的扑凉台），一座残存，经辨认在花厅一与花厅二中间位置上，但却没有登上阳台的台阶遗迹。另一座在正厅的后花园西侧，70年代全毁，这次复原仅凭照片及部分遗迹。照片是从原青年中学学生单崇安处征集的（见图109）。从照片看，石阳台向东，背靠花园西墙，阳台上栏杆已毁。该阳台与花厅一、二处的石阳台不完全相同，从考古清理的遗迹看，石阳台共有4根青石柱子，形成类似平顶的亭子，其前后檐柱落地标高不同。两后檐柱落到阳台下的亭内地平面，前檐两柱紧贴阳台地平面的基座壁面向下延伸，这样高低不一的柱子与所在地势自然相结合（图202）。

这只是根据照片和考古清理所揭示的遗迹推知的它的结构，而阳台有多高又如何上去，对此我们认为，后花园西围墙高7.5米，阳台高度从照片上看，达不到围墙高度的一半。从透视分析看，其高度应与花厅一、二处的石阳台基本一致。至于原来是用什么方式登阳台这个难题，我们仔细研究了单先生提供的照片，发现照片上看不到登阳台的台阶构造，台的正面是长栏板，说明只有从两边设梯道，从沈理源的实测图看，花厅一、二处的石阳台或后花园内的石阳台都为方柱，阳台一面靠墙，三面皆用假山，均未标

上台阶。经过反复分析研究，我们认为登阳台之道只能在假山上作文章。

当时花厅一、二处由于涉及到未迁户，不能进行修复施工，后花园石阳台的各部件已根据有关资料加工完成，并准备安装。这时我们在老照片上发现阳台南侧墙上遗存很多假山痕迹，在一高处有从墙上凸出的较长痕迹，这种痕迹故居内不少墙上都有，那原是为假山石靠墙叠高时起固定作用而特意加设的构件。说明此处假山高峻，应该利用这些假山石就能巧妙地铺设登台的自然盘道。现在人们看到的后花园西侧假山、阳台及盘旋而上的自然石台阶，就是按照这个分析研究的结果而建的。一二个月后我们在维修花厅一、二处的石阳台时，不能肯定两座阳台是否是一种方式上台，遂请教了从小居住在这里的住户蒋彦伦先生，他告诉我们这座石阳台就是用假山石作台阶盘旋而上的，与后花园石阳台登上台阶的形式完全一样。

后花园阳台栏杆的修复依据，我们仅征集到原杭州青年中学老师提供的一张带有石阳台背景的照片。画面阳台是远景，比较小，又残缺不全，看不清楚。因此最初复建时，栏杆是根据大、小水池中出土的栏杆构件复制的，望柱是依照片上的大概外形在出土石构件中找相似的使用。台下亭的挂落形式固定不下来，存疑暂缺。后来，得到中国建筑设计研究院建筑历史研究所提供的老照片（拍摄时间应在1958年之前），画面在阳台的一侧与望柱相接处均为假山石，一部分石块还延贴在石柱上（见图116），另一侧虽然接近照片边框，但还是隐约看到有假山石，尤其靠西墙，假山石延伸到石阳台平台上。这证明了我们当时做假山石盘旋登道上石阳台的考证是正确的。因此，我们将照片上后花园石阳台栏杆、挂落等都作了精心的放大，复制后于2001年11月再次施工安装。

第六节 关于芝园三个水池的考证
Section 6 Textual Research of the Three Ponds in Zhiyuan Garden

"芝园"是胡雪岩故居园林最精华的地方，无论是山、水、桥、堤与亭台楼阁等建筑，还是植物配置以及鱼鹤等动物饲养的处理，都十分别致和讲究。

芝园内的几个水池，从沈理源实测图上看，完全像是互相连通的一个大水池。经过考古清理才发现实际各个水池互不相通，而且池底的施工方法有两种。其中露台南面大水池池底采用黄土密封的做法，另在东南和东北方的两水池采用石板铺底。

三个水池分别作南、北、中布置。大水池北面的荷花池，经清理后发现南北长4.9米，东西宽1.3~1.8米不等，深1米（图203）。池的四周均用太湖石驳坎，池底用青石板。底部和池坎壁面上都采用枭浆石灰嵌缝。在东南端靠近大水池边的下方，还筑有一直径6厘米左右的圆形排水孔，平时用木塞塞住，需要放水时把木塞抽出排水。从该池四周的驳坎可以知道，它与大池完全相隔，是座独立的水池，但通过排水孔，可以给大池补水，而在该水池近一二米处又有水井可补荷花池水的不足。

大水池东南面的水池，南北长14.4米，东西宽4~0.9米不等，初步认定它就是"洗药池"。该池8.2米在露天，6.2米在大假山滴翠洞内。在露天部分的西壁坎边，有水井一眼，水井圈上方用枭浆石灰有意加高。该池的砌作方法与荷花池类似，考古清理发现此池似乎与大池连在一起，但洗药池底略高于大池，几乎与大池形成了斜面连接，但明显不同的是，洗药池采用三层青石板作池底，与大池相接斜面处的岸边上遗有少许隔断驳坎，可以确定它是用于分隔大池与洗药池的，这说明洗药池与大池互不相通。这三个水池不仅水互不相通，从三个水池的池底标高来看，都存在落差。其中大池水深1.3米，荷花池整体比大池高，它的池底比大池底高0.35米，而洗药池池底比大池也高0.3米。因此，笔者认为芝园水池实际是由三个具有不同水位的独立单体的水池组合而成，这样，三个水池水面有高有底，有明有暗，很是独特的。

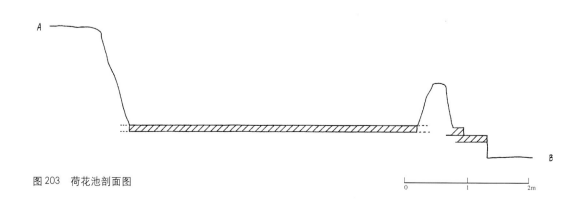

图203　荷花池剖面图

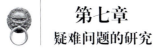

用石板铺砌，壁面用石块砌成，并采用了当时黏韧性能最好的枭浆石灰作粘结剂嵌缝，特别是壁面水位线以下，更是大量地涂嵌枭浆石灰，但实际上还是解决不了漏水的问题。在营造水池时，设计者也许考虑到为防止渗漏将池底部完全封住的同时，地下水涨高时也会无法向池内补水，遂采用在池四周设众多半圆洞，当地下水丰富时可通过这些洞孔从石块驳成的池坎上端渗流入池中。其实，由于宅内地势高的原因，地下水很难有这样高的水位，恐怕这些半圆补水孔没有达到预期的引水效果。

为了获得水源，在芝园的三座水池旁，都打有多眼水井，当年水池的水应该是由这些水井提供的。总之，胡雪岩故居水池盛不住水，是设计中的一个大缺陷。

当然也不排除这些半圆洞还有以下的用途，即一旦遇到霉雨季节或大雨时水池也有可能满出池面，当水位满到一定程度时，在水池壁部上方的半圆孔，利用与宅外地坪的高差，可以有效的起到调节溢水的作用，这种设计在国内园林中绝无仅有。

第七节 关于水池壁内半圆洞的问题
Section 7 On the Semicircular Hole in the Wall of the Pond

修复前我们对胡雪岩故居的几座水池都进行了发掘清理，清理每座水池均发现在水池驳坎壁面内（驳坎采用太湖石叠砌在池内壁，湖石后又采用青石板平贴在这些洞的壁面）有排列整齐的半圆洞。这些洞，好似隐蔽在水池驳坎的壁内，高度略低于驳坎，但要比驳坎深。半圆洞直径均为0.1米，深约1.55米左右，采用黄泥（一种黏土）制成（图204）。从这些半圆洞的整体形状看，应是用预制好的半圆形棍棒作模子，不等黄泥干透把模子抽出形成的半圆洞。这种半圆洞别处不多见，笔者认为主要还是起引水和排水的作用。

前面已经提到，胡雪岩故居的地势特高，至今还比宅外马路地坪高1米以上。杭州明清时期的建筑，尤其是民宅都低洼易积水，一般比室外低10~30厘米。像胡雪岩故居这样比宅外高这么多的，实属少见，虽然高差很好地解决了雨水的排放问题，使宅内保持干燥，但要想在地表蓄水却遇到了不少的麻烦。宅内水池共计7座，除大水池底部用铜皮外，其他水池底部都采

图204 水池的半圆引水洞

第八节 关于大厨房炉灶遗迹问题
Section 8 On Traces of the Kitchen Range in the Major Kitchen

正厅东南面的大厨房，也是在70年代被毁坏的。在拆除违章建筑后作考古清理时，发现地面仅存厨房大门内的4步台阶，台阶用绍兴东湖石砌作，与台阶相接的地面还部分保留青石板。每步台阶高0.12米，宽1.85米，进深0.3米，最下一步进深为0.33米。在靠近厨房西墙边上，还留存柱顶石和磉鼓墩。东面除有原工厂放置机器设备的钢筋混凝土基座和蓄水池外，还留有原厨房建筑的阶条石、小天井和一眼完好的水井。在厨房原残留地面上，已找不到炉灶痕迹，掀开地面原铺设的青石板，在其下发现了炉灶遗迹，这些残损遗迹内，还留有龙糠灰。

炉灶遗迹位于厨房的东北面，靠近厨房北墙平面呈90度转角为两合一的灶台形式(见图81)。从东至西有3个灶膛：东边的直径0.85米，深0.34米；中间的直径0.92米，残深0.29米；西边的直径1.2米，深0.78米。另外从北往南还有两个灶膛：北边的直径0.89米，深0.53米；南边的炉膛破坏严重，只残存极小一部分，皆用砖砌成。转角有一四壁用青砖错缝平砌的灰塘，长1.09米，宽1.29米，深0.8米，内有用砖呈对角砌成的砖墙，隔成三角形，并且堆积着较多的龙糠灰。当时，有人认定这就是胡宅厨房的炉灶遗迹，主张保存遗迹供大家参观。后来我们发现在灶膛遗迹旁留有用乱石铺设的地面，这些炉灶的灶膛遗迹在原厨房地面10厘米以下，那么，厨房原炉灶应是设在厨房石板地面的上面才对。

故居有不少地方在修复清土时(如红木厅、老七间、下房的天井等地面或残存青石板地坪下)，皆发现水井、柱顶石和阶条石等建筑遗迹及构件，这些应是营造故居时，该地段范围内原有房屋拆迁的遗存(图205)。我们请了几位专门搭造各式传统炉灶的师傅，前来考查上述大厨房的灶膛遗迹。他们认为这类炉灶并不是住家日常所需的厨房灶台，而是做酒的专用炉灶。所以笔者认为我们没有足够的证据证实故居炉灶的原状，故暂不作复原。现在我们在遗迹上用黄沙回填，上面按原样覆盖了活动的青石板。

图205 下房基础遗存

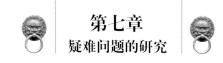
第九节 关于围墙的加固与保护

Section 9 On Reinforcement and Protection of the Enclosing Wall

胡雪岩故居外围墙总长342.33米，内围墙总长391.68米，山墙总长147.45米，修复前，故居原有老围墙存在问题比较多并且复杂，这里，重点讨论两处围墙及其维修处理的基本方式。

故居外围墙高处十几米，低处8米多，均用青砖砌筑，下部从墙脚石上叠砌1.5～3米不等的实砌砖墙，其上均为空斗砌作。墙内采用杉木做木筋，整座墙下宽上狭，稍作收分形式。从这次维修勘察的围墙基本情况看，这么高的围墙，基础不但尽是块石，而且只有30多厘米深，难怪50年代的一次强台风就吹得牛羊司巷东侧围墙东摇西摆。为此，当时人们立即拆低了该围墙，将围墙基本保持在3米左右的高度，并拆除了其他危险的围墙。这次修复围墙有两种意见：一种是，保持现有状况；另一种是，全部拆除，重新砌造。最终，我们确定凡是墙上没有堆塑艺术品的围墙及危墙，都拆除重新砌造。凡是墙上有堆塑艺术品的，要抓紧论证，筛选最佳保护方案，使这批优秀的堆塑不但不被破坏，而且还要使它永久地得到保存。对故居保存较好的原有围墙，尽量保持原状，只作局部小修与部分加固。

重建围墙主要是东面牛羊司巷的围墙，这堵围墙因朝东，内侧又没有可依靠的建筑，一旦发生强台风，将面临直接的正面威胁。因此，重建

围墙，基础为1.5米深，均设钢筋混凝土圈梁，确保安全。其他如北面望江路和南面大门东侧一小段，也作了新墙，基础都深达1.4米，并均设钢筋混凝土圈梁。

西侧靠袁井巷一带围墙，修复前整体向宅内有不同程度地倾斜，此墙上有一段堆塑。有堆塑的倾斜度不严重的北段正好有花厅四和绿梦亭抵挡，加之有一座紧贴西墙的高大假山作支撑，得以使围墙不致倾倒。而南段约30米长的围墙，有宽3～5厘米的垂直裂纹，围墙残损严重。由于原筑有水木湛华及相连的披廊，因此就没有堆塑，这段围墙我们便全部拆掉，重新砌作。考虑到该段围墙与元宝街围墙相连接，在转角相交处加强基础就十分必要。我们采用转角围墙用混凝土现浇以此来拉结老围墙的方案，在墙转角处加设L形独立柱。独立柱基础为锥形独立基础，基坑深1.8米，下层采用素土夯实，上铺30厘米厚的块石，块石面层用C10素混凝土找平，上做锥形基础。基础混凝土标号为C20，底板钢筋为间距20厘米的双向Φ20，柱配筋为6根Φ20的主筋，Φ8，20厘米间距的箍筋加固。转角两边向西面和南面延2米，筑C20钢筋混凝土现浇墙体，墙体基部宽60厘米，向上渐收至40厘米，高达8米，配筋为20厘米间距，Φ16主筋和25厘米间距Φ6次筋，与老墙体连接采用间距80厘米，Φ8钢筋插筋。此方案也就是在西墙与南墙转角处作成一个钢混结构，并深埋基础与墙体合一加强围墙，使西、南两墙稳定与牢固。

胡雪岩故居东南方一墙体（即小厨房南围墙的外墙），高8.15米，长12.6米，墙体厚约0.5米（墙自下至上有收分），该墙墙脚石以上1.5米为实砌砖墙，其上是砖砌空斗墙。在墙体顶部三线叠涩下部保存有十分精致的堆塑。这些堆塑由人物、动物、建筑和船只等图案组成，形象生动，是江南地区不多见的堆塑典范。由于该墙年久失

修，墙体基础又过浅，整座墙面严重外倾，斜度达0.16米，随时有倾塌的危险。因此，为保护这座围墙我们搜集了多种维修方案，主要有：

斜撑方案

这种方法确实最方便、简单，用圆杉木或混凝土柱子斜撑顶住斜墙即可。按说这种方法最能保持文物的本色，符合欧洲人修文物建筑的原则。但这种方法，实际效果不会很理想，而且也不美观，一旦故居开放，还会造成安全隐患，因此不能采取这类方案。

堆塑卸装法

此类方法见于《古建园林技术》总56期所载《澳门卢家花园后羿求药灰塑揭取》一文。文中论述的是组清末民初的堆塑的维修保护。这组堆塑面积为10平方米，镶嵌在一座高5米，宽5.6米的牌楼式砖砌墙体的中部。以华南理工大学程建军教授为主的技术人员采取了多种难度极高的方法，较好地把堆塑按次序切块揭下，安放在博物馆永久保护并展出。我们从广州请来了程教授，他的意见是胡雪岩故居墙上的那批堆塑不同于澳门，不宜采用他在澳门的方法，最好采用其他更有利的方法。

顶托法

堆塑作品位于围墙顶部呈带状分布，约1米多高，占围墙高度的八分之一，因此只要把堆塑以下的围墙拆除重新砌墙，再把上部堆塑相连接便可保住堆塑。其方案具体步骤如下：

（1）在墙体两侧支撑脚手架。

（2）于堆塑下部适当高度沿水平面逐一掏空一侧砖墙，并随着掏空的加大逐步填充轻骨料高标号混凝土，最终形成一承托持力结构层，或从墙体顶部开洞灌混凝土。

（3）在持力层的底部穿角钢构架，构架下端以千斤顶支撑，千斤顶落于两侧的脚手架上。

（4）为长久之计，可适当在墙体内部砌实墙

或砖柱，外墙面及空斗墙可按样砌好。

（5）墙体修复后，将堆塑墙体落回原处，修补混凝土带。条带外侧仍为空斗墙面。

（6）整理及修复堆塑

上述换墙法应是很好的办法，也经济。于是我们在废墙上做了试验，但问题颇多很难实施。

这堵围墙，主要还是年久失修，墙脊和瓦作破烂不堪，因长年漏渗雨水，原用黄泥加石灰的砌砖粘接物已基本松散，实际该墙是靠自身的重量相互叠压才整体连接在一起。因此，一旦在墙上打洞，其周围墙体马上就会松散掉下，要想拆掉整座墙下半部，把堆塑部位全部托住，成功率颇小（图206）。

新筑法

有人认为既然保护堆塑这么难，维修工期又那么短，不如干脆全部拆掉重建一堵新墙，把旧墙上面的堆塑拍成照片，做好测绘，录像等工作，把资料留存好，再新塑一批堆塑。这种意见就更加不行。

剪力墙

为了保护好围墙上的堆塑，既解决围墙倾斜又美观好看，笔者考虑再三，采用了紧靠原墙体筑剪力挡土墙来支撑外倾墙体的方案（图207:1-3）。

首先对围墙作好防倾塌的保护措施，然而拆除破损墙脊，浇筑高标号的水泥砂浆填充，使松散砖石泥灰通过灌浆加强牢固性，并按原形制作墙脊。剪力挡土墙则采取深挖基础，扩大基础面积的方法。挡土墙基础深挖1.8米，基坑底部铺设0.2米厚块石，块石层宽1.8米，上浇捣0.1米厚混凝土垫层找平，其上再做钢筋混凝土大放脚和地梁。大放脚宽1.7米，底筋配置φ14双向钢筋，地梁高0.75米，配置4根φ22面筋。在总共12.6米加固范围内浇筑钢筋混凝土柱4根，柱径0.4米×0.4米，柱子配筋为8根φ20钢筋，φ8箍

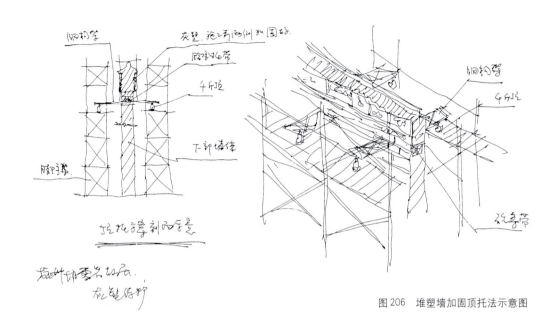

图 206　堆塑墙加固顶托法示意图

图 208　堆塑墙加固

筋 200 毫米间距。剪力墙墙体也全部采用钢筋混凝土，在浇灌前先在墙的背后设大量的钢管支架，严防浇灌面的推力。墙体配筋为 φ12 双向筋，间距 0.15 米，混凝土级配为 C20。墙体基部厚 0.45 米，4 组钢混柱墩从 1.5 米深处向墙斜置，在距离围墙 0.3 米处剪力挡土墙开始露出地面。把整个挡土墙慢慢斜形紧贴围墙至堆塑外框。这样一方面视觉上还是保持围墙下大上小的收分感觉。另方面因紧贴围墙而合二为一，没有加固的感觉。剪力挡土墙至堆塑外框底部仅突出几厘米，基本不影响美观。此加固方案通过有关人员反复的计算后实施（图 208）。

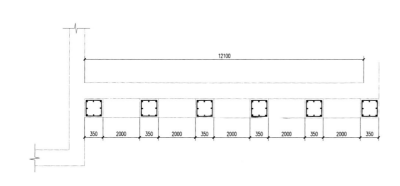

图 207-1 剪力墙平面图

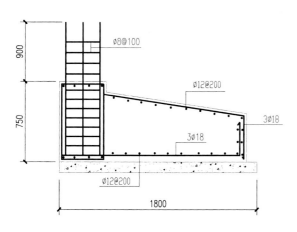

图 207-2 剪力墙基础配筋大样

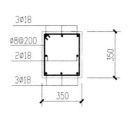

剪力墙构造柱配筋大样

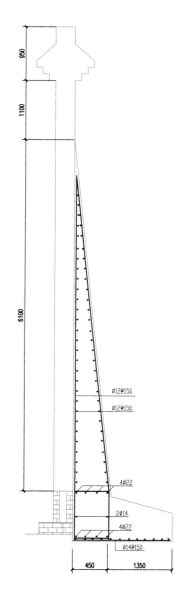

图 207-3 剪力墙剖面图

(1)挡土墙的墙身按下端嵌固在基础板中的悬壁板进行计算。

挡土墙侧压力 F=0.35 × 22=7.7KN/m

留延米的设计弯矩值为:$M=r_0(rGF \cdot H/3)$

=1.0 × (1.2 × 7.7 × 6.1/3)

=18.79KN.m

Ⅱ级钢筋：fmc=13N/mm   fy=310N/mm

墙身净保护层取35mm

$$as= \frac{M}{fmcbho^2} = \frac{18790000}{13 × 1000 × 300^2} =0.016$$

查表得出：rs=0.992

$$as= \frac{M}{rs \cdot fy \cdot ho} = \frac{18790000}{0.992 × 310 × 300} =204mm^2$$

配筋Φ12@150 （754mm^2）

洞墙身每米配置Φ12@150的竖向受力钢筋，双向双层，在水平方向配置构造分布筋Φ12@150。

(2) 地基承载力验算

每延米墙身自重 G1=1/2 × 0.35 × 6.1 × 25=26.7KN

每延米基础底板自重 G2=0.75 × 1.8 × 25=33.75KN

挡土墙压力 F=0.35 × 22 × 1=7.7KN/m

基础底面土板力的偏心距e

$$e= \frac{b}{2} = \frac{G1a1+g2a2-f1 × H1/3}{G1+G2}$$

$$= \frac{1.8}{2} = \frac{26.7 × 0.117+33.75 × 0.9 - 7.7 × 2.283}{26.7+33.75}$$

=0.637m

1.8/6=0.3<0.637 截面部分受压

$$Pmax = \frac{2\Sigma G}{3C} = \frac{2 \times (26.7+33.75)}{3 \times 0.554} = 72.74KN/m^2$$

$$Pmax \leqslant 1.29K = 1.2 \times 80 = 96KN/m^2$$

满足要求。

（3）地基础底板的内力及配筋计算

$$e = \frac{1.8}{2} = \frac{(26.7 \times 0.117 + 33.75 \times 0.9) \times 1.2 - 7.7 \times 2.283}{(26.7+33.75) \times 1.2} = 0.0558m$$

$$Pmax = \frac{2 \times (26.7+33.75) \times 1.2}{3 \times 0.554} = 87.3KN/m^2$$

$$m = 1/2 \times 87.3 \times 1.35^2 = 79.6KN.m$$

$$As = \frac{79600000}{0.9 \times 310 \times 650} = 439mm^2$$

选用$\Phi12@200(As=365mm^2)$可以。

（4）稳定性验算

$$Kt = \frac{MAG}{MA} \geqslant 1.5$$

抗倾覆力矩 $MAG = G1a1 + G2a2 = 33.4989KN.m/m$
倾覆力矩 MA
$$MA = 7.7 \times H1/3 = 17.579KN.m/m$$

$$Kt = \frac{MAG}{MA} = \frac{33.4989}{17.5791} = 1.91 > 1.5 \text{ 满足要求。}$$

该方案解决了围墙倾斜危险问题，在外表又看不出加固的痕迹，取得了很好的效果。这一加固方案运用在文物保护修复上尚属首次（图209）。

图 209　加固后的堆塑墙

第八章 Chapter 8

故居家具与设备的处理

Treatment of the Furniture, Decoration and Furnishings

胡雪岩故居一百余年来多遭劫难，府内原有家具及陈设早已无存。此次修复故居，恢复家具与陈设是个难度极大的课题，家具与陈设的复原，显然难以像建筑那样获得证据和依据。工作中，我们在调查研究、征集胡府当年旧有的家具和陈设的同时，主要依据《胡雪岩外传》的描写推测近似的形制去收购旧家具或者订做。

图210 厅堂家具

图211 鸳鸯厅二楼家具

第一节 家具
Section 1 Furniture

这次修复工作不仅是对故居建筑与园林的修复，更重要的是对胡雪岩故居这一历史生活环境的全面再现。胡雪岩故居一百余年来历经沧桑，府内原有家具及陈设早已无存。此次修复故居，

恢复家具与陈设是个难度极大的课题。像胡雪岩这样连房屋都用紫檀木、红木和金丝楠木等高档木材建造，其家具和摆设又当如何呢！家具与陈设的复原，显然难以像建筑那样获得证据和依据。工作中，我们在力求调查研究、征集胡府当年旧有的家具和陈设的同时，主要依据《胡雪岩外传》的描写推测近似的形制去收购旧家具或者订做。

胡雪岩鼎盛时期，有家产近四千万两白银，也就是将近占当时清政府国民经济年收入的一半，可谓富与国同！关于府中的家具和陈设，从《胡雪岩外传》的一段描写可见一斑，例如：

"这日正是十二月下旬天气，雪岩把正楼打

图212 卧室家具

扫干净，居中摆下座极大的圆桌。这桌子中心都特为挖空了，用一架古铜的宫薰补在中间，四围设下十四个座儿，每一座儿旁边都有一架宫薰，一盆大梅桩。又四角排列下四架立台，这立台又是与众不同，下座是古铜铸成一只三脚蟾，从背上插起一支铜杆，是做成龙样子，把尾子弯将转来，挂下一张明角灯球，下面坠着七八两重猩猩红金丝大穗，便觉古雅异常。又用四座大着衣镜屏做了围屏，正中敞梁上挂下一座十五副的水法塔灯。到上灯时节，楼窗四面一齐点上五色瓷壳的檐灯。要里面各灯点上，映入镜屏里面，真觉月宫里也没这样的好看景致。"

上述家具与陈设的描写相当生动具体，有可能据以仿制。对于家具和陈设的再现，应该允许有推测的成分。在材料充分有翔实证据或推理依据的情况下，应该尽量做到接近史实，我们对胡府建筑和园林的复原就是如此。而对于难以取得直接证据的，像家具与陈设这样的附属物件，为进一步丰富当年的生活景象，本应可以有根据地适当加以演绎，但是这次任务紧急，经费有限，我们暂未作考虑，只是根据相关材料，进行了一些有依据的复原。例如，对于厅堂（图210、211）、卧室（图212、213）、书房（图214、215）、餐厅（图216）和厨房（图217）等处的家具陈设和设备作了布置。主要以清式雕花红木家具为主，部分地采用明式。按理用材应以最高级的紫檀木

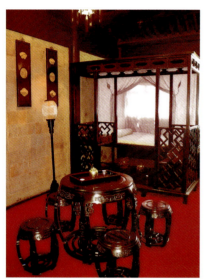

图 213 卧室家具

图 214 书房家具

图 215 书房家具

图216 餐厅家具

图218 正厅二楼家具

图219 正厅一楼中堂布局

图217 厨房家具

为主，但由于材料难得，造价太高，其家具的制作便以高档酸枝木和杞梓木代替。

一、正厅

正厅是故居主轴线上的主体建筑，等级最高。其楼下厅堂正中悬"百狮楼"匾，整个厅堂高大、宽敞，用料考究，考虑到陈设布置应烘托胡府的华贵富有，我们确定一层正厅家具图案以代表富贵长春、延年益寿的灵芝为主题。在工艺上以重雕刻、深透雕为主。二楼为与"百狮楼"这一楼名相对应，雕刻图案以"狮子滚绣球"为主题（图218）。一楼明间按中堂格局布置，上首为灵芝图案的中堂摆设，正中上方挂8块红木条屏，上刻《舞鹤赋》全文；下面摆设长条案、天然几、八仙桌、太师椅和花架，组成中堂布局（图219）。厅堂中心为直径2米的浮雕灵芝图案圆台，圆台下部采用透雕灵芝图案托板。左右对称分列透雕灵芝嵌云石太师椅和茶几多组，尽显正厅的高贵和气派。在东西两次间，居中摆放直径1.6米的雕刻灵芝图案的圆台，周围布置8个圆凳。砖细装饰的东西墙边，对称放置雕有灵芝图案的两椅一几和花架，靠长窗处放置琴桌。

图 220　红木厅一楼家具

二、红木厅

红木厅家具的复原也是重点之一。由于红木厅地处芝园的中心，考虑到它也是一个以厅堂为主的建筑，所以在一层厅堂仍设中堂格局。挂屏下方则摆放长条案、天然几、八仙桌和太师椅。在厅堂中央放置红木圆桌，两侧仍为两椅一几的布置。整个厅堂家具陈设均以高档红木（红酸枝）为原材料，在雕刻图案上采用活泼典雅的梅花图案，雕刻手法上充分运用了深透雕和浮雕，整个厅堂使人感到高贵雅致（图 220）。

三、老七间

主人常住的老七间地位特殊，家具布置也应特别讲究。楼下原为胡雪岩的书房，这一使用功

能从楼下一块刻有"墨林"二字的砖刻匾额上就能体现出来（图 221）。书房之内应有琴、棋、书、画的内容，因此，此处的家具仍以高档红酸枝为主要原材料制作。内部从南到北分别布置了琴房（图 222）、画室（图 223）、书房、中堂（图 224）、藏书斋和棋室（图 225）。家具的雕饰主题有喷火龙、回纹、回纹香草和竹节纹等。这些家具不以华丽取胜，仅略施雕刻，体现出一种古朴、典雅的风格。

老七间的二楼原是胡雪岩和他的姨太太们的住所，根据这一使用功能，在二楼恢复了堂屋——大起居室、卧室和姨太太们活动的小起居室（内客厅）等的家具布置。在原姨太太们的卧室（见图 212），摆放透雕图案的踏步式架子床，并摆放了立灯（图 226）、衣橱（图 227）、脸盆架（图 228）、梳妆奁盒（图 229）和条案等生活起居必备的家具及生活用具。这些家具陈设也均以香草花图案为主，以显示出姨太太卧室的闺房气氛。

图 221　老七间"墨林"砖刻匾额

图 222 琴房家具

图 223 画室家具

图 224 老七间中堂家具

图 225 棋室家具

图226　卧室立灯

图227　卧室衣橱

图228　卧室脸盆架

图229　卧室梳妆套盒

四、新七间

　　根据新七间内一层明间开门，次间无门，而明间、次间前后均相通的格局以及新七间一层顶部灯钩痕迹密布判断，此处也许是胡雪岩的宴厅所在。根据这一推测，家具也就按照宴厅设计了。在明间布置了中堂，左右次间均放置灵芝图案的圆台、挂衣架、条案和挂屏等配套家具和摆设。

　　为胡雪岩故居制作的家具总共达1200件左右。每件家具均是通过反复斟酌后精心制作。各个厅堂因为陈设了这些不同式样、不同用途的家具而更具特色。整个故居也正因为有了这些家具和陈设，才充满了生活气息，具有了真实的历史感。

挂匾额、楹联的铁钩，对此，我们决定对照《胡雪岩外传》的描述，予以复制。为了产生更为古朴的效果，我们采取了从历代书法名家作品中集字题刻的方法。如轿厅正面所悬挂的同治御笔"勉善成荣"匾，就是从同治皇帝的遗墨中集来的（见图5）。

胡雪岩故居的厅堂、楼阁内多有匾额和楹联，按使用材料来分有木刻、砖刻等。按安置方式来分，有壁面悬挂（图230）与镶嵌（图231）两种。论理，悬挂的匾额和楹联是一种陈设，而镶嵌在建筑上与建筑一体的，则是一种装修。整个故居匾联情况如表：

第二节 陈设
Section 2 Furnishings

一、匾 联

悬挂匾联，在传统建筑中是必不可少的陈设之一，在故居尚存的旧建筑中，多处还可看到悬

图230 悬挂的匾额

图231 镶嵌的匾额

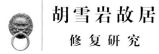
故 居 匾 联 情 况 一 览 表

建 筑	形 式	内 容
轿厅	木制横匾	勉善成荣
	木制横匾	经商有道
	木制横匾	乐善好施
	木制横匾	承天恩赐
	木制横匾	奉扬仁风
	木制楹联	存一片好心愿举世无灾无难 做百般善事要大家利民利人
	木制楹联	传家有道惟存厚 处世无奇但率真
照厅	木制横匾	映瑞临吉
	砖细镶嵌	修德延贤
	砖细镶嵌	神龙
	砖细镶嵌	威凤
	砖细镶嵌	灵龟
	砖细镶嵌	祥麟
	砖细镶嵌	优柔
	砖细镶嵌	安然
	砖细镶嵌	宛若
	砖细镶嵌	含和
正厅	木制横匾	百狮楼（楼下）
	木制横匾	安泰吉祥（楼上）
	木制楹联	翠翠红红处处莺莺燕燕 风风雨雨年年暮暮朝朝
	木制楹联	忠教为千古昭穆 钟毓得两间之气
	木制八条屏	鲍照《舞鹤赋》（此为康熙皇帝临董其昌书法）："散幽经以验物，伟胎化之仙禽。钟浮旷之藻质，抱清迥之明心。指蓬壶而翻翰，望昆阆而扬音。币日域以回鹜，穷天步而高寻。践神区其既远，积灵祉而方多。精含丹而星曜，顶凝紫而烟华。引员吭之纤婉，顿修趾之洪姱。叠霜毛而弄影，振玉羽而临霞。朝戏于芝田，夕饮乎瑶池。厌江海而游泽，掩云罗而见羁。去帝乡之岑寂，归人寰之喧卑。岁峥嵘而愁暮，心惆怅而哀离。于是穷阴杀节，急景凋年。凉沙振野，箕风动天。严严苦雾，皎皎悲泉。冰塞长河，雪满群山。既而氛昏夜歇，景物澄廓。星翻汉回，晓月将落。感寒鸡之早晨，怜霜雁之违漠。临惊风之萧条，对流光之照灼。唳清响于丹墀，舞飞容于金阁。始连轩以凤跹，终宛转而龙跃。踯躅徘徊，振迅腾摧。惊身蓬集，矫翅雪飞。离纲别赴，合绪相依。将兴中止，若往而归。飒沓矜顾，迁延迟幕。逸翮后尘，翙

正厅		矗先路。指会规翔，临岐矩步。态有遗妍，貌无停趣。奔机逗节，角眜分形。长扬缓骛，并翼连声。轻迹凌乱，浮影交横。众变繁姿，参差泳密。烟交雾凝，若无毛质。风去雨还，不可谈悉。既散魂而荡目，迷不知其所之。忽星离而云罢，整神容而自持。仰天居之崇绝，更惆怅以惊思。当是时也，燕姬色沮，巴童心耻。巾拂两停，丸剑双止。虽邯郸其敢伦，岂阳阿之能拟。入卫国而乘轩，出吴都而倾市。守驯养于千龄，结长悲于万里。"
红木厅	木制横匾	延碧堂（楼下）
	木制横匾	扑翠楼（楼上）
	木制楹联	秋水寒潭襟怀空旷
		玉壶白雪心境光明
花厅四	木制横匾	洗秋堂（楼下）
	木制横匾	明秀楼（楼上）
	砖细镶嵌	临风
	砖细镶嵌	涵光
	砖细镶嵌	养气
	砖细镶嵌	接涟
	砖细镶嵌	登瀛
	砖细镶嵌	流丹
绿梦亭	木制横匾	绿梦亭
水木湛华	砖细镶嵌	水木湛华
	砖细镶嵌	闲吟
	砖细镶嵌	长醉
	砖细镶嵌	神游
	砖细镶嵌	荡思
冷香院	木制横匾	冷香院
影怜院	木制横匾	影怜院
桥 亭	木制横匾	晴雨亭
四照阁	木制横匾	荟锦堂（楼下）
	木制横匾	御风楼（楼上）
藏春亭	木制横匾	藏春亭
相宜亭	木制横匾	相宜亭
花厅三	木制横匾	锁春堂（楼下）（楼上缺）
花厅二	木制横匾	颐夏院
花厅一	木制横匾	融冬院（楼下）
	木制横匾	卷云楼（楼上）
楠木厅	木制横匾	载福堂（楼下）
	木制横匾	听莺楼（楼上）
楠木厅南偏屋	木制四条屏	刘基《春兴诗三首》："于越山城控海壖，春风回首忽经年。忧时望月青霄迥，怀土登楼白发鲜。江上波涛来渺渺。云中鸿鹄去翩翩。暮寒细雨余花落，梦绕天涯到日边。 会稽南镇夏王封，蔽日腾云紫翠重。阴洞烟霞辉草木，古祠风雨出蛟龙。玄夷此日归何处，玉简他年岂再逢。安得普天休战伐，不令竹箭四时供。 卧龙山莫墟王都，群水南来入镜湖。苦怪桑田非旧迹，还

楠木厅南偏屋		惊雉堞是新图。白波翠蔼浮天际，绿树青莎到海隅。便欲投身归钓艇。不知何处有莼鲈。"
老七间	木制横匾	和乐堂（楼下）
	砖细镶嵌	耐冬
	砖细镶嵌	卧月
	砖细镶嵌	涵秋
	砖细镶嵌	适之安
	砖细镶嵌	处而泰
	砖细镶嵌	消夏
	砖细镶嵌	款春
	砖细镶嵌	停云
	砖细镶嵌	借光
	砖细镶嵌	长乐
	砖细镶嵌	碧瘦
	砖细镶嵌	书府
	砖细镶嵌	墨林
	砖细镶嵌	挹秀
	砖细镶嵌	披花
	砖细镶嵌	映雪
新七间	木制横匾	清雅堂
鸳鸯厅	木制横匾	鸳鸯厅（楼下）
	木制横匾	逍遥楼（楼上）
	木制楹联	爽借清风明借月 动观流水静观山
东四面厅	砖细镶嵌	有缘
	砖细镶嵌	无尘
	砖细镶嵌	读画
	砖细镶嵌	吟诗
	砖细镶嵌	抱素
	砖细镶嵌	怀朴
	砖细镶嵌	澄鲜
	砖细镶嵌	辉映
西四面厅	砖细镶嵌	碧落
	砖细镶嵌	天和
	砖细镶嵌	远来
	砖细镶嵌	近悦
	砖细镶嵌	绿影
	砖细镶嵌	镜香
	砖细镶嵌	听泉
	砖细镶嵌	眠云

二、挂屏和座屏

挂屏和座屏是当时住宅、特别是高级府第中常用的一种陈设，胡府中拥有这些是没有疑问的。因此我们在厅堂、书房和卧室等处制作陈设了一些挂屏和座屏。这些挂屏和座屏也是用酸枝木等高档木材做成的，有的还镶嵌了大理石。例如：正厅左右次间，就摆放有高1.8米的两侧下部透雕灵芝纹的嵌云石大座屏（图232），东西两墙悬有"天圆地方"挂屏（图233）。红木厅中心悬挂云石大挂屏，云石图案如山水画卷，气势磅礴。

图 232　正厅一楼嵌云石大座屏

图 233　"天圆地方"挂屏

图 234　红木厅黄灵璧石

三、玲珑奇石

　　在红木厅的西侧我们放置了一块珍贵的黄灵璧石。灵璧石产自安徽省灵璧县磬石山一带，以声、形、质、色、纹诸美皆备而著名，为中国四大名石之首，被清帝乾隆御封为"天下第一石"。

灵璧石又分黑、白、黄各色，其中以黄灵璧为上品。此块黄灵璧如奇峰玉立，色泽莹润，表面颇多皱折纹，似老树盘根，实为石之佳品。此处安放奇石，满堂顿然生色，充满了玲珑之气（图234）。

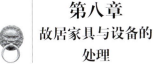

第三节 装修
Section 3 Decoration

一、花罩

花罩是室内装修的重要组成部分，一方面花罩有分隔空间的作用，另一方面花罩精美的雕刻，具有很强的装饰效果。胡府内的落地罩因选用高档的红酸枝为原材料，使雕刻图案更有一种富贵感。例如，正厅的楼下次间，在左右后金柱间对称安装了梅、兰、竹、菊图案的红酸枝透雕落地罩，雕刻极为精致，整个厅堂因此而显得豪华气派（图235）。

二、仿木砖细隔扇

胡雪岩对砖细情有独钟，整个府第随处可见不同形式的砖细装饰的墙面，尤其是一种极为精美的模仿木隔扇的砖细隔扇，更是绝无仅有（图236），这在胡府内的多个留存建筑中都可见到。例如，在老七间一楼就有多个这样的砖细隔扇，在隔扇的裙板和隔心均有极为精细的砖雕，内容多为吉祥图案。

图235　正厅透雕落地罩

图236　室内仿木隔扇的砖细隔扇

本可以参考北京故宫的式样仿制，但由于这次修复任务紧急，又兼经费有限，没有复原制作。

二、通话器（德律风）

《胡雪岩外传》第八回提到的通话设备——"德律风"，尚有遗迹可寻，现经过初步考察研究，对其构造已有初步的了解，但限于时间和经费，而未能深入下去。这也待今后对遗迹作进一步的考察和研究后，再复原制作。

三、照明设备

照明设备具有很强的装饰功能，可以说它也是陈设中的一种。在胡雪岩故居内保留下来的建

第四节 设备
Section 4 Equipment

一、采暖设备

《胡雪岩外传》第八回写到取暖的铜鼎式的火盆——"宫薰"，并称有大小两种。此"宫薰"

图237　故居当年用过的宫灯

图238　"蝴蝶"檐灯

筑中、梁架、轩棚、楼板搁栅及檐下椽子上，均可看到挂灯笼的铜钩或铜钩的遗迹。根据这些遗存，可以得知建筑内外照明灯具的数量。参考这些，可以确定复原建筑室内外的悬灯位置和数量。关于部分灯具的形式，在《胡雪岩外传》中有所描述，如第八回说到"正楼"即老七间时，描述道：

"到上灯时节，楼窗四面一齐点上五色瓷壳的檐灯，楼里面各灯点上，映入镜屏里面，真觉月宫里也没这样的好看景致。"

可知此楼确有挂在外檐的吊灯。书中所描写灯是"五色瓷壳"，对照另一处的描写就可明白，灯中还有"灯心"。第三回末了有上灯的描写：

"其时已是薄暮，早有三四个家人各捧着一具大长木盘，中间摆满了各色洋灯心子，已点齐了火，四五个小厮都手提着绿油小老虎凳，向凡有檐灯之处一齐分头摆下，站将上去，向盘里取了灯搁上。一霎时，早把满个园子高低内外都点得如星桥火树一般。"

可知当时为了点灯方便，是采取活动灯心，即可以预先把灯心点燃，再放到上面去。所谓"洋灯心子"，即进口的外国货。

另据《胡雪岩外传》第十一回所述"其实也并无别的灯彩，不过就是胡府平常所点的那些各种洋灯，以及琉璃做的葫芦、蝴蝶、花篮等各式檐灯罢了，哪里有外国水月电气灯的明白如昼一般。"

从这段描述可知胡府的檐灯除了上文提到的"五色瓷壳"，还有"葫芦"、"蝴蝶"和"花篮"等各种式样。

室内灯饰应有两种形式，一种即为传统宫灯，另一种是西洋水法吊灯。由于时间和经费条件的限制，这次未能按照书中描写的式样仿制，现在影怜院所使用的人造水晶吊灯，只是现在市场的现成商品。

再一种室内用的立灯（落地灯），如老七间的铜制夔龙杆的立灯在《外传》中也有描述。《外传》中还提到夜间行路用的"羊角风灯"，这种灯具在当时应极为普遍。根据这些描写，我们是可以作出大体上的复原设计的，此项工作也待今后有条件时再完成了。

在这次修复工作中，为了能够更为真实地反映当年胡宅的盛况，我们在浙江省博物馆找到了当年胡雪岩用过的宫灯（图237）。该宫灯形式古朴，全部用高档红木制作。我们按照这个宫灯的实测图，用杞梓木、红酸枝（老红木）复制了4种不同规格的宫灯。另外，还按想像制作了《胡雪岩外传》所描写的"蝴蝶"檐灯（图238），共计1600余盏。只是这些灯已改为电灯照明，当夜色降临时，故居内的1600盏红木灯笼就会大放异彩，灯火通明的故居好似再现了当年胡雪岩故居的繁华景象。还没有仿制的灯饰，我们计划在以后条件成熟时进一步研制。

附 录 Appendix

《威尼斯宪章》"欧洲中心论"质疑
Question Venice Charter

修复工程的验收
Acceptance of Whole Project

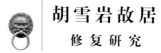

附录 I 《威尼斯宪章》"欧洲中心论"质疑
Question Venice Charter

我国自提出改革开放以来的二十几年里,工农业、商贸、体育、文化教育等各个方面,与国际之间的交流和合作日益增长,因此在结合自己国情与特点的基础上,我国在走有中国特色的社会主义道路上得到了前所未有的发展。我国的文物事业也是这样,要使它与世界接轨,除需要先进的科学技术和管理外,还必须要有适合我国特征的政策法规及保护方式。尤其是当今21世纪,可持续发展已成为人们的共识。为协调人类的可持续发展,世界经济按照客观规律正在形成全球化或曰一体化。在生产及经济全球化、一体化的今天,不论是物质产品还是精神产品都将为全人类所共享。因此,越是全球化、一体化,也就更需要保护地域的和民族的文化特征。以中国为主体的东方木构文物建筑,有它自己的特点和风格,我们要认真、负责地保护好文物建筑,这是我们对中国乃至世界文化遗产应有的责任。

《威尼斯宪章》是1964年5月25～31日在意大利的威尼斯召开的"第二届历史古迹建筑师及技师国际会议"中通过的《国际古迹保护与修复宪章》的简称。该《宪章》中提出了"人们越来越意识到人类价值的统一性,并把古代遗迹看作共同的遗产,认识到为后代保护这些古迹的共同责任。"同时也确定了文物保护和修复的原则,明确了"保护与修复古迹的目的旨在把它们作为历史见证,又作为艺术品予以保护。"我们不否定该《宪章》几十年来对保护文物起到的积极作用,但其部分修复原则却存在严重的问题,即是它忽略了东、西方古代建筑的差异,而仅是以欧洲古代石构建筑的保护为对象,存在着"欧洲中心论"的思想。以中国为代表的东亚建筑文化体系,以土木混合结构为主导,它不像以砖石材料为主导的西洋古典建筑那样即使有所损坏,不加修缮也能够比较长时间的作残损保存,土木结构的中国建筑必须不断地及时维修,否则很快便毁坏无存了。

在对文物建筑修复的原则上,《宪章》中第九条和第十二条说"修复过程是一个高度专业性的工作,其目的旨在保存和展示古迹的美学与历史价值,并以尊重原始材料和确凿文献为依据。一旦出现臆测,必须立即予以停止。此外,即使如此,任何不可避免的添加都必须与建筑的构成有所区别,并且必须要有现代标记,无论在任何情况下,修复之前及之后必须对古迹进行考古及历史研究。""缺失部分的修补必须与整体保持和谐,但同时须区别于原作,以使修复不歪曲其艺术或历史见证。"这两条原则即是文物修复中被一些该《宪章》的追逐者们奉为圭臬的"可识别"法或"留白"法。这一做法实际存在着较大的缺陷,它并不适用于所有的文物建筑修复,特别是中国古代建筑包括有着鲜明的地域和民族特征的文物建筑,这些建筑在用材等诸多方面都有自己的特点。因此我们应结合自己的国情,遵照《中华人民共和国文物保护法》,走自己的文物维修道路。

近年来,主要根据上述《宪章》,有个别人认为当今维修文物建筑应全都采用"可识别"方法来处理。所谓"可识别"具体来说也就是指一处文物建筑的维修完成后,对在维修中调换了的门、窗、柱、梁等构件要能体现出现代人维修的痕迹，说明不是原物。以使这些新调换构件可以明显识别，当今这种观点和做法大有蔓延之势。现在在浙江省内个别地方及杭州市（正在规划修复的清河坊历史街区），人们可以看到按这种"可识别"方法维修的个别文物建筑在完成维修后，

不经油饰或只上清漆而作"留白"的作品（"留白"即清水作）（图239、240），如浙江省湖州南浔全国重点文物保护单位小莲庄内一座家庙就存在大片留白"可识别"现象（图241、242），不少同行学者及参观者看了后均否定这种"留白"的做法。笔者也认为"可识别"的做法只是对文物建筑保护、修缮时的一种理解与认识，并不是一种准则，不能泛用。

文物维修中的"可识别"或"留白"的观点早在38年前《威尼斯宪章》中就已提出，而在现实工作中却并非全部采用这类方法。多年来，国际上一些保护文物先进的国家，如日本，他们有众

图239 杭州河坊街上留白的建筑

图241 小莲庄刘氏家庙上的留白

图240 留白的建筑

图242 小莲庄刘氏家庙内建筑梁架上的留白

图243　照日本奈良法隆寺内的建筑

图246　埃及亚历山大城堡用相同材料维修

图244　日本金阁寺

图247　埃及孟菲斯湿卡拉神庙（该神庙曾用相同材料经过大面积的修补）

图245　正在维修中的埃及亚历山大城堡

图248　作者在卢浮宫前留影，后为玻璃金字塔

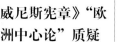

多的古代文物建筑，其维修工作　直不断地在进行。前些年，笔者曾有幸两次赴日本考察访问，在奈良县建于飞鸟时代（6世纪中期至8世纪初期）的世界文化遗产、国宝级文物法隆寺内看到，寺内的中门和回廊、金堂五重塔、藏经楼等都经过维修，但没有发现一处有"可识别"处理的痕迹（图243）。在日本其他几个城市维修后的古代建筑上，也未发现留下什么"可识别"的痕迹（图244）。又如土耳其首都伊斯坦布尔的托普卡泊皇宫，建于公元1453年，皇宫内的厨房由于部分瓦片的破碎及屋面其他一些问题造成了漏雨和糟朽。2001年4月初该建筑正在维修，在屋面上添加了新型的橡胶油毡垫，换上去的新瓦与旧瓦式样与色彩均相同。另外，奥斯曼土耳其最后一座皇宫位于博斯波罗斯海峡，建于公元1846年，宫殿雄伟壮观，殿内富丽堂皇。可能是该宫筑在海湾，基础又不牢固的原因，造成部分建筑下沉，尤其有的墙面开裂十分严重，而于近年维修后根本看不到有什么现代标志。宫殿内的彩画和皇宫的西侧主体建筑外墙也都是按原样进行描绘和粉刷的。

埃及是世界文明古国，如建于公元1447年的亚力山大城堡，外墙、内墙均残损严重，维修中采用与原样相同的米白色沙岩作修补，石质材料的尺寸也按原样大小，不留任何现代标志（图245、246）。尤其是在埃及的孟菲斯湿卡拉，这是其国内金字塔最集中的地区，国王与贵族的很多坟墓都集中在这里。埃及的历史从第一王朝至第六王朝是古王国，七到八王朝同为过渡阶段，九至十四王朝为中王国，十五至十六王朝又为过渡时期，十七王朝以后为新王国。在那里有第三王朝的金字塔，至今已有5300年历史。在此金字塔南向前几百米处，有一石质建筑，也就是第三王朝时代的建筑，据介绍是第三王朝国王居住建筑的模型，至今也已有5300的历史。那石质建

柱子成瓜楞的形制，墙体完全采用长方形米白色砂岩错缝砌作，由于时代久远自然风化严重，整座建筑进行过大面积维修、修补，也是采用5300年前的同样石材，同样尺寸进行维修，未见到有颜色之分或有现代标志（图247）。

按照《威尼斯宪章》的规定，在固有的文物建筑周围及保护范围内，不能搞一些臆想性的建筑，而在法国巴黎卢浮宫艺术博物馆大门前，有座用现代玻璃制成的金字塔建筑，可以说太违背《威尼斯宪章》的规定了，但这座独特、漂亮、现代、实用的建筑却受到了大众及专业人士的赞许和肯定（图248）。谈到卢浮宫必然会联系上那些伟大的艺术品，如在宫内有众多的世界著名油画。《威尼斯宪章》"定义"第一条讲："历史古迹的概念不仅包括单个建筑物，而且包括能从中找出一种独特的文明、一种有意义的发展或一个历史事件见证城市或乡村环境。这不仅适用于伟大的艺术作品，而且适用于时光流逝而获得文化意义的过去一些较为朴实的艺术品。"在馆内历史文物建筑上的彩画、贴金、装修等都是经过维修的。笔者在2000年1月去考察时看到那么多世界顶级珍贵的油画（包括文艺复兴时期达·芬奇的名画《蒙娜丽莎》在内），除一幅油画未经修理和上色外（这幅油画表面十分陈旧，整组油画上全是蜂窝状的裂纹，其上的图案也很难辨认），其他都是经过维修、加色、修补处理的。达·芬奇的《最后的晚餐》这幅世界著名的油画，被国际上公认为"伟大的作品"，至今已修过12次之多。在欧洲其他各国，有不少的历史文物建筑由于自然因素或战争的破坏而遭到毁损，因此，很多名人故居、教堂、宫殿等都进行过不同程度的维修(图249、250)。如德国波恩对外开放的贝多芬故居，可明显发现故居内的门、窗、地板等均经后人油漆。其他不少文物建筑的石质、木质结构（包括油漆）也都是重新调换过的，包括意大利、威尼

图 249　金碧辉煌的卢浮宫

图 250　欧洲正在按原样修复的建筑

图 251　欧洲正在按原样修复的宫殿

图 252　以色列著名的圣墓教堂也正在按原样修复

图 253　上海豫园

图 254　苏州拙政园

斯和罗马的众多古老住宅，多少年来，直到如今适时的维修还在继续，也是基本采用原样修复的原则，很少见到有"可识别"现象，即维修还是采用文物建筑本来固有的材料、风格作"修旧如旧"的处理。当然，在这些国家里，也有少数文物建筑存在"可识别"现象，这仅是对个别历史建筑、考古遗址及一些特殊情况下的古迹作这类处理的。所以，从上述可知这种"可识别"修理文物的做法并未在国际上特别是欧洲文明古国的普遍使用（图251、252）。在欧洲，那些石质的文物建筑不少都已无顶，只存部分柱体，由于材料多数都采用花岗石，而且欧洲阳光的紫外线辐射并不厉害，所以放置露天保存尚完好，但随着岁月的流逝，这些石构遗迹最终也必定会风化。

在国内，文物建筑维修采用这种"可识别"处理的情况也不多见，如近年维修的国家重点工程西藏拉萨的布达拉宫是国务院投入巨资，由国家一流专家指导维修的。建筑的构件、油漆、装饰等都进行过维修，也基本不留白、作"可识别"处理。又如北京故宫，近50年来，多处建筑的墙面、油漆、木构件、瓦作彩画都被维修过。笔者近日专访了北京故宫博物院的有关专家，这位专家谈到：北京对文物建筑的保护分两个类别，即一般的文物建筑的维修为20年一个周期，故宫为50年一个周期。故宫的油漆与彩画的保护也为50年一个周期，到了陈旧不堪或出现斑驳必须维修时，就采用传统工艺，如油漆原来是用"一麻五灰"，修复时也同样用"一麻五灰"，彩画同样按原有色彩修复上色，凡碰到瓦作破损，同样也采用原色原样配制，其宗旨就是要把原样世世代代保存下去。至于木质构件更换更是常常出现的事，从不采用留白、"可识别"的做法。还有如全国重点文物保护单位北京颐和园，上海豫园，苏州拙政园、留园、网狮园等都在经常性地维修和油漆（图253、254）。又如浙江省湖州飞英塔，是

在我国著名文物维修专家祁英涛先生主持、指导下修复的，主要修复外塔。当时外塔早已无顶，也基本没有檐子、平座、斗栱，只留下极少的遗物。祁先生依据宋代《营造法式》作了考证与复原，今天我们大家看到完整的飞英塔外塔，也未曾作"可识别"处理。

还值得提及的是四川乐山大佛的维修。据史料记载，乐山大佛历代均作过维修，仅近现代，较大规模维修就有6次。上个世纪4次较大的维修，周期在15~30年之间，而最后一次，仅近10年。据有关人士说，由于多种原因，每次保护维修也只停留在"头痛医头，脚痛医脚"的局部治理上，无论在维修方法还是使用材料上，都存在不妥之处。如在以前维修时，由于使用的材料和工艺受到当地条件限制，用水泥修补的大佛面孔一度成为"白面书生"，有人戏称"大佛变年轻了。"如此只注意对外表的修补，而忽视了对大佛本质的保护，致使大佛的一些顽症一直遗留至今。不久前的这次维修，全部使用传统材料，不使用高新现代化的材料，使大佛复原了初建时的风采。

对于文物维修中"可识别"或"留白"的处理，笔者认为应客观地对待，在特殊情况下也可以使用它。如杭州明代建筑陈宅，在维修时，由于不清楚该建筑本来色彩，为了保持该宅原有民宅的古朴外貌我们对新换的构件有的没有做任何色彩处理。又如1984年在修复杭州碑林原孔庙大成殿时，其中，缺几块彩画天花板，重画这些彩画又没有依据。在这种情况下，当时我省文物保护专家王士伦先生决定对此作留白处理。因此，对文物建筑维修作留白的处理方法千万不可泛用，而要根据文物建筑自身条件包括其功能、性质，尤其是科学修复的依据等因素作不同的处理为好。一味的生搬硬抄只会对文物维修造成负面影响。试想，我们在修复历史文物建筑时，如果

换了构件就留白作"可识别"处理，那么，经过几百几千年后，这一文物建筑在经过了几十甚至几百次的可识别维修后必然会变得面目全非"不可识别"。比如说北京故宫的琉璃瓦均为黄色，这是一代封建王朝高贵和权力的象征。如每修复一次换一批新瓦（因为要有修复的时代之分），就作"可识别"处理，这次维修就只能作留白，过若干年后，只能作黑色的变换。那么就无法想像，几十年、几百年后的故宫屋面将会成什么样子？凡文物建筑的修复都是如此，一旦留有"可识别"痕迹，一二百年后，经十几次或几十次的大、小维修后，为"可识别"而需的颜色、色彩可能都用完了还不够识别。所以说这类维修文物"可识别"的处理方法的运用要慎重，千万不可凡是维修文物建筑均采用这种手法。我们需要的是应加强对文物建筑的建档立案工作（如摄像、拍照，尤其是维修的文字记录等），让文物档案永远地保存下去，是最好的"可识别"处理方法。可目前在杭州对只有几十年历史、又不属文保单位的文物建筑，在进行维修时也作留白"可识别"的处理方法，笔者实在不敢苟同。

笔者认为《威尼斯宪章》在1964年5月25日通过后，有一个值得注意的问题，欧洲大多数文物建筑的修复（包括卢浮宫内珍藏的伟大的艺术品），几十年来实际上并没有普遍执行《威尼斯宪章》，或没有全部接受该宪章的条例。而中国这一与欧洲古代建筑体系截然不同的以土木结构体系为主的文明古国，在文物保护上又为何一定要完全遵照《威尼斯宪章》呢？尤其是那些不符合文物维修的条款。

在胡雪岩故居修复过程中，就有人提出要按《威尼斯宪章》来修复，对已毁部分不进行复原，保留遗址，对维修部分不油饰且要有明显"可识别"标记——作留白处理。甚至有人提出故居内保存尚为完好的芝园大水池遗迹由于漏水就不再修复，其上填土种草，改为西洋园林式的草坪就可以了。又说由于故居内建筑密度大，可选择性复原，把更多的遗址留下来给观众参观。然而如按此方案修复故居，整个故居格局会因为处处残缺，失去整体性而变得零乱，园林部分也会因为芝园中心大水池改为草坪而变得不中不西、不伦不类，无法再现这一豪宅的历史真实面貌。而我们对故居的修复，其中有一重要的意义就是使修复工程达到再现历史建筑面貌——作为往日生活载体显示出一定的社会历史生活的真实性。胡雪岩故居的修复有着较为充足的资料和科学的依据。其中保存的大量遗迹、遗物和民国九年（1920年）的全宅总平面实测图对故居的复原起着至关重要的作用，再加上1903年大桥式羽所写的《胡雪岩外传》，其中颇多涉及胡氏宅邸情况，此外，还有大量旧照片，这些都是复原研究的证据、依据和参考资料。因此，故居的修复中对一部分建筑的复原属于科学复原，与一般商业化的假古董是不可同日而语的。

国家文物局古建筑专家组组长罗哲文先生关于《文物建筑的科学复原重修不能以"假古董"视之——兼谈中国文物建筑保护维修的中国特色》一文中说：自中华人民共和国成立以后，文物建筑复原重修的例子及易地搬迁保护的工程也有不少。1952年文化部文物局在对北海团城上衍祥门的复原重修工程中，把被八国联军烧毁了的门楼按照与它对称、形制完全相同的昭景门的形式与结构复原重修起来了。它不仅起到了振奋民族精神，进行爱国主义教育的作用，而且使团城这一组只缺这一门楼的建筑群完整起来，收到了很好的效果。改革开放以来，复原重修的文物建筑工程更多了，如北京明十三陵的昭陵、颐和园的景明楼等，还有广州光孝寺的钟楼、苏州瑞光塔、辽宁朝阳北塔等等，罗先生认为只要有充足的材料、充分的科学复原的依据，经过认真评审和依法批准，复原重修的重要古建筑，不仅可以再现昔日的辉煌，而更重要的是会使这些历史上的建筑结构能够长留人间，以它完整的形象展现其历史的风采。

综上所述，中国古建筑的保护维修需要有中国自己的特色，这是由于中国古建筑主要是以木构建造的客观事实所决定的，它与欧洲花岗石为主体的古建筑不一样，可以在露天遗址保存很长时间而不会损坏。中国建筑的木柱、梁架、泥土墙、用砖作的空斗墙和泥土、砖铺的地面都经不起雨水侵蚀。所以屋顶残坏漏雨必须修复，柱子、梁架、斗栱等残缺了的构件也必须补配，否则建筑物就很难长期保存下去。另外中国建筑的油漆装修也十分讲究与重要，我国地域辽阔，油漆与建筑一样每一个地区有其自己传统的色彩和风格，如不能把它们的区域特色继承下来，这对后人也是一种遗憾。因此，"留白"这类"可识别"的维修方式不能泛用，我们应按照《中华人民共和国文物保护法》的规定，处理和贯彻好对文物建筑的维修。对文物建筑的维修，国家文物法第十四条规定："核定为文物保护单位的革命遗址、纪念建筑物、古墓葬、古建筑、石窟寺、石刻等（包括建筑物的附属物），在进行修缮、保养、迁移时，必须遵守不改变文物原状的原则。"对于一座木结构的文物建筑，笔者认为，只有采用这种维修保护的方法才能使其得以长期保存。就是在几千年或更长的时间里，也可作为一个时代的模型保护。虽然我国在1982年公布的文物法中，还有很多需要改进和增加的地方，但对文物建筑维修的规定方向是对的，是符合中国国情的。关于"按原样修复"实际是梁思成先生早年提出"修旧如旧"的基本意思，有的人认为原样也好，修旧如旧也好，都是指现有状况。笔者不同意这种理解，梁先生文集中对杭州六和塔的复原就可说明这个问题。六和塔现有塔刹是元代所铸，外檐是

1900年所修造，梁先生的六和塔复原图明确按宋代规制作复原，那么梁先生的修旧如旧原则到底是指破败的状况还是现有的状况呢？

总之，笔者认为，《威尼斯宪章》是国际上一些民间组织提出的条例，它对保护文物起到了一定作用，但关于"可识别"的做法，在中国并不能盲从。我国应根据实际情况走自己的文物维修的道路。对于文物建筑的保护不仅仅是我们这一代人的事，而是要几十年、几百年甚至几千年的保护下去。如每个时期的维修，都要代表每个时期的信息，要有现代维修的标记，也只能作每个时期不同的"留白"表达，那么一次一个"可识别"，一二百年后，这座文物建筑就会面目全非，变成了"大花脸"，再无法保持其原貌。另外，还有人认为古建筑内的色彩、彩画等不能去修复，那么用不了多少年这些彩画就会彻底被毁，后人又如何去认识它，观赏它，又怎么保存传统时代特色风格呢？因此，要让几百年、几千年后的人看得到原样，就得不断地按原样修复，这样才能永久地保存下去。当然这种原样修复要有高水平，采用传统技术才能达到要求。在埃及金字塔均用石质砌作而成，但在强烈的紫外线暴晒下，大多数金字塔在地上部分至今有的已成为碎石，有的成为了沙丘，所以金字塔也应维修，否则几千年后去埃及现仅剩的几座金字塔（地上部分）也会逐渐风化成为沙漠。因此，只有在维修中保持它的原貌，才能真正地、确实地说明文物建筑建造时的历史情况和科学技术水平，保持文物建筑的美学观赏价值。维修中的任何不按原样修复的做法，都不能说明当时的真实情况，都不能体现它原来的科学、艺术和历史价值，所以对文物建筑的维修要根据不同建筑的情况，具体问题具体分析，以切实贯彻"不改变文物原状"的原则，而不能把"可识别"作为放之四海而皆准的规范做法，否则后患无穷。

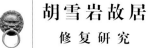

附录 Ⅱ　修复工程的验收

Acceptance of Whole Project

胡雪岩故居修复工程专家论证会纪要

胡雪岩故居通过 10 个月零 5 天的紧张施工，终于在 2001 年 1 月 5 日进行了验收。参加这次验收的有国家文物局古建筑专家组组长罗哲文研究员、中国建筑学会建筑史学分会理事长杨鸿勋研究员、南京东南大学建筑学系刘叙杰教授、广州华南大学建筑学系程建军教授、北京《古建园林》杂志社常务副主编马炳坚高级工程师及浙江省文物局、浙江省文物考古研究所有关专家。专家们在考察了修复后的杭州胡雪岩故居后，参加了胡雪岩故居修复工程专家论证会。会议由杭州市园林文物局王振俊总工程师及杭州市文物保护管理所有关领导召集、主持。

在论证会上，专家们一致反映看了修复后的胡雪岩故居感到非常惊讶，称赞这个工程非常了不起。对这一文物建筑的修复工程给予了充分肯定，一致认为：这一工程拯救了一座具有重要价值的文物建筑，是全国文物建筑修复的成功范例，修复后的胡雪岩故居再现了当年的辉煌。专家们还一致认为这次对胡雪岩故居的修复是符合国家文物法和文物建筑修复的有关法规、条款的，在修复工程开始前确定的修复原则是正确的，是有充分的科学依据的，体现了东方文物建筑的维修体系。

专家们还认为这座晚清建筑，原有建筑规模宏大，空间变化多，是不规则庭院组合的典范，既体现了传统建筑风格，又受到了当时西方建筑的影响，因此对其作修复和部分复原难度是很大的。而在这次修复过程中，从整体布局到建筑用材（如高档木料、五色玻璃窗等）及砖雕、木雕、假山叠石等施工工艺、园艺都注重忠实于原建筑风貌，因此能给人以一种时代感、真实感，富有建筑与园林相互交融的杭州私家园林特色，是展现杭州历史文化的经典之作。置身于修复后的胡雪岩故居，就能使人感到这是一座具有一百余年历史的建筑，就是当年富甲一时的红顶商人胡雪岩的豪宅。同时专家们对芝园溶洞内的灯光设置提出了改进意见。

专家们还谈到，对文物建筑的科学复原、重修不能一概以"假古董"视之、斥之。当然，由于各种原因，目前国内古建筑维修的精品不多，不少地方还出现了过粗、过俗、过滥的现象，这也是文物建筑修复往往会招致非议的一个重要原因。而胡雪岩故居的修复堪称是国内文物建筑修复的成功范例，专家们建议，有关胡雪岩故居的修复工程应编著一部专门的书籍，从工程的前期准备、构思原则到设计施工，从领导决策到施工工艺都应收入其中。最后大家还对胡雪岩故居的内部陈设、陈列及对外开放后的有关问题提了一些重要建议。

古建专家在胡雪岩故居修复工程专家
论证会上的发言摘录

罗哲文研究员：

修复后的杭州胡雪岩故居再现了建筑原貌，有着丰富的历史文化内涵，是展示杭州历史文化的经典之作，很有文物价值。特别要赞扬杭州市领导能下决心修复胡雪岩故居，并把其列入市重点文化建设工程，使一座快要消失的文物建筑得以恢复、保存。现在有人认为古建筑不是文物，园林不属古建筑范畴。其实园林是古建筑的重要组成部分，融建筑、园林于一体的古建筑是历史文物中最重要的组成部分。

胡雪岩故居修复工程是一项很了不起的工程，从可行性论证到设计、施工，每一个环节都很认真，是严格遵循了国家文物保护法和对文物建筑修复的有关法规、条款的。整个工程从前期工作算起，实际为两年的时间，前期工作也是很重要的。如要对其定级，应是属国家级重点文物保护单位。现在还应进一步做好宣传工作，这项工程可以成为国内文物建筑修复的样板工程，同时也可编写一本书，把有关的内容都收入其中。

杨鸿勋研究员：

杭州胡雪岩故居修复工程开始前的论证、研讨会我是参加的，现在修复工程将要完成，整个工程施工是体现了文物法原则的。中国的文物建筑修复不同于西方，大量的都是木结构文物建筑，其中有不少需过若干年重修一次，才可以永久的保存下去。

胡雪岩故居规模宏大，用材讲究，是一座典型的不规则组合的建筑群体。建筑是历史的载体，修复后的胡雪岩故居比原先预想的还要好，有历史的真实感，有明清时代的特征和杭州的地方特色。置身其中，不会使人感到是重新修过的，而会感到这里就是当年红顶商人胡雪岩的豪宅，有生活感，能给人以一种感染力。

文物是不可再生的，文物建筑与假古董绝然不同(搞假古董是应坚决反对的)，建筑残存部分是修复的依据，是科学研究的素材，当然有关的文献、传记、图照也是一些重要的依据。胡雪岩故居的修复坚持科学复原的原则，是最大的成功。我非常赞成罗工的建议，可以出一本书，把胡雪岩故居修复工程从前期准备、构思原则到设计施工，从领导决策、专家指导到能工巧匠的精心施工工艺都全面系统地记录下来，同时建议由国家建筑史学会组织一次学会活动，到杭州来作一次专题研究。

刘叙杰教授：

胡雪岩故居修复是一项很了不起的工程，对胡雪岩故居的修复是经过反复研讨、论证的，是符合古建筑修复的原则的。

这处建筑规模宏大、用料讲究、变化多，构思很有特色，既保存中国传统建筑的风格，又受到了当时西方建筑的影响（如采用五色玻璃窗等），同苏州园林有类似之处，很有新意。到现在我还没有见到过如此规模的溶洞，假山叠石也很不简单，空间比例尺度都恰到好处。另外，砖雕水平之高可与皖南的民居建筑相媲美。

在这样短的时间内能取得这么大的成绩，值得祝贺。而且有那么多的能工巧匠要组织起来，把他们的高超工艺传承下去，对文物建筑的保护有促进作用。

马炳坚高工：

完全同意上述专家们的意见，胡雪岩故居修复工程确是一件了不起的事，完全可以出一本书。

这项工程可说是国内文物建筑修复的样板，把园林与建筑融合在一起是这项文物建筑修复工程的特色，看起来使人感到处处是景观，处处有新意。现在在这方面急功近利现象很严重，如提出要搞什么"少投入、多产出"，所以文物修复的精品不多，不少搞得不伦不类，因此遭到不少抨击、非议。有些文物建筑粗糙施工，经不起时间考验，造好后就成为一堆垃圾，毫无价值，浪费钱财。当然，这里还涉及到一个文物修复的体制问题。

我是第一次到胡雪岩故居，看了后印象很深。这项修复工程体现了东方文物建筑维修的体系，意义很大，可以成为一处传世文物。

浙江省文物局专题会议纪要

浙文物会[2001]4 号
胡雪岩故居专家验收会会议纪要

2001 年 6 月 4 日，浙江省文物局主持召开了胡雪岩故居工程专家验收会。出席会议的专家有：浙江省建设厅章济宏总工，浙江大学刘正官教授，市建委吴承桉高工，浙江省文物考古研究所李小宁副所长，省古建设计研究院黄滋副院长、张书恒副院长、宋煊副研究员等。省文物局副局长陈文锦主持会议。

验收会上，专家们再一次踏勘了已竣工的胡雪岩故居，听取了杭州市文保所领导关于修复工程情况的介绍，并就有关维修的若干技术问题进行了研讨。与会专家认为，文物维修工程和一般的基本建设项目相比，质量要求较高，国外维修文物建筑的一般做法，是一边研究，一边施工，不能套用大规模基建工程的常见模式，只有这样，才能确保文物保持原状，才能确保历史信息不致丧失。胡雪岩故居的修复原则、定位是准确的，修复依据充分，是比较规范的文物维修。

此次验收会专家意见可总结为三条：

一、工程维修保护复原指导思想准确，体现了保护为主的原则。修复后的胡雪岩故居文物信息没有减少，历史资料在大大增加。

二、复原部分是有充分依据的，通过了对前期的考古清理，历史资料的汇集，有关人员的口述及五六十年代的旧照片的调查和研究。

三、用材精良，施工工艺是按传统技术来操作的，做到了精心设计，精心施工，精心管理，达到了"专家叫好，百姓叫座，领导满意"的效果。

浙江省文物局
2001 年 6 月 11 日

胡雪岩故居开放仪式隆重举行

　　在省、市领导的关心、重视下，杭州市重点文化建设工程胡雪岩故居修复工程在如期竣工后于1月20日起对外开放。

　　当日上午九时，胡雪岩故居举行了隆重的开放仪式。市领导王国平、仇保兴、张明光、施锦祥，全国人大常委毛昭晰，中国古建筑学会会长杨鸿勋等出席开放仪式，副市长项勤主持仪式。市长仇保兴代表市委、市政府向为胡雪岩故居修复工程而搬迁的市民以及工程建设者表示衷心的感谢。他说，胡雪岩故居是我市重点文物保护单位和重点文化建设工程，经过近两年时间的紧张筹备和施工，这座富有江南园林艺术特色的庭院重现了昔日风采，这是我市文化名城和文化建设中值得庆贺的一件喜事。市政府决心按照"延年益寿、修旧如旧"的原则继续抢救性地修复市区的其他文物古迹，为申报世界文化遗产奠定基础。

　　仇市长希望有关部门在胡雪岩故居开放后，把各项管理工作做得更好，特别是要做好安全、消防管理工作，为提升杭州城市品位、展示杭州城市特色、促进杭州旅游事业的发展和两个文明建设做出努力。

　　省文物局局长鲍贤伦、胡雪岩后裔胡文莹也先后致辞。省委常委、市委书记王国平宣布：胡雪岩故居正式开放。

　　在热烈的掌声中，有关领导为开放仪式剪彩。仪式结束后，领导和来宾们饶有兴致地参观了胡雪岩故居。王国平书记、仇保兴市长还对首批前来参观的市民致以亲切的新年问候。

后记 Postscript

经过三个月的紧张工作,《胡雪岩故居修复研究》一书终于脱稿。为此,我感到十分欣慰。

笔者能在短时间内完成这部书稿,是与有关专家和朋友的帮助分不开的。在这里,我首先要对主张坚持中国特色的文物建筑修复之路,在维修胡雪岩故居过程中一直关心我们工作,并对此书的编写给予支持的杨鸿勋教授深表感谢。同时还要感谢杭州历史博物馆张震亚、张倩等的热情帮助。

在此我想说明一点,也许有人会认为书中有的地方讲了过头话,实际上这只是作者表达了事情"真实"的一面,让胡雪岩故居修复过程中所发生的一切与故居一起永远留给历史吧。

限于作者的水平,本书对一些问题的研究也许仅是一孔之见,有疏漏差错之处,敬请读者不吝赐教。

高 念 华

于杭州青园小区

2002 年元月

责任编辑：张征雁
责任印制：王少华
责任校对：周兰英
英文翻译：盛洁桦
英文校对：张　旸
摄　　影：李　海等

图书在版编目（CIP）数据

胡雪岩故居修复研究／高念华编著.－北京：文物
出版社，2002·8
　　ISBN 7-5010-1363-2

　Ⅰ.胡…　Ⅱ.高…　Ⅲ.胡雪岩－故居－文物修整－
研究　Ⅳ.K878.21
　　中国版本图书馆CIP数据核字（2002）第044025号

胡雪岩故居修复研究

高念华　著

文物出版社出版发行
(北京五四大街29号　邮编：100009)
http:www.wenwu.com
E-mail:web@wenwu.con
新　华　书　店　经　销
北京雅昌彩色印刷有限公司制版印刷
2002年8月第一版 2002年8月第一次印刷
889 × 1194　1/16　印张：19
ISBN 7-5010-1363-2/K·610
定价：200.00元